JÉSUS A FAIT DE MOI UN TÉMOIN

Jésus a fait de moi un témoin

Père Émilien Tardif

José H. Prado Flores

ÉDITIONS INTER
450 est, rue Sherbrooke
Montréal

ÉDITIONS CAHIERS DU RENOUVEAU
31, rue de l'Abbé-Grégoire
Paris 75006

Couverture
Maquette : Réalisations de Palma
Photographie : Mia et Klaus

Diffusion canadienne :
QUÉBEC LIVRES
4435, boul. des Grandes Prairies
Montréal (Québec)
(514) 327-6900

Diffusion européenne :
ÉDITIONS CAHIERS DU RENOUVEAU
31, rue de l'Abbé-Grégoire
Paris 75006

Dépôt légal : 3e trimestre 1984
Bibliothèque nationale du Québec

Imprimé au Canada

PRÉSENTATION

Nous ne pouvons pas nous taire devant ce que nous avons vu et entendu. Il est juste, digne et nécessaire d'élever la voix et de proclamer au monde entier quelques-unes des merveilles que le Seigneur a faites.

Ces pages sont la louange et l'action de grâce de tous ceux qui, d'une manière ou d'une autre, ont reçu la grâce de Dieu au long de ce ministère d'Évangélisation qui fut accompagné de signes, de miracles et de guérisons.

Ceci n'est pas un livre mais un témoignage. L'Évangile, avant d'être écrit, fut proclamé et vécu. Derrière ces pages, il y a la proclamation de celui qui évangélise qui bat comme un cœur, nous pouvons presque percevoir sa voix, mais surtout nous pouvons rencontrer celui qui est l'Évangile même: Jésus Christ, qui est le même hier, aujourd'hui et toujours. C'est lui qui est au centre de ces pages. Le père Émilien n'est que le petit âne du Dimanche des Rameaux, il a eu la chance de porter Jésus à travers les cinq continents. Comme le petit âne de Betfagué, il a reçu les capes de fleurs de Tahiti ou la prison et les persécutions congolaises. Ce qui compte ce n'est pas le vase d'argile mais le trésor qu'il renferme, c'est-à-dire: Jésus Christ.

Ceci n'est pas un livre technique pour apprendre à prier pour les malades mais le témoignage que notre

Dieu guérit aujourd'hui ses enfants malades. Ce n'est pas un livre de guérison mais d'Évangélisation. C'est un cri qui s'élève remplissant d'espérance ceux qui osent croire que ce même Jésus, qui est mort sur la Croix est ressuscité et est vivant et donc, que tout est possible. Quoi de surprenant à ce que notre Dieu fasse des merveilles puisque c'est un Dieu merveilleux ?

Bref, ce dont ces pages ont le moins besoin, c'est d'une introduction ou présentation.

Mexico D.F., 24 juin 1983
Fête de St-Jean-Baptiste

I

TUBERCULOSE PULMONAIRE

En 1973, j'étais provincial de ma Congrégation Missionnaire du Sacré Cœur, en République Dominicaine. J'avais beaucoup travaillé abusant de ma santé pendant les seize années de ma mission dans le pays. Je passais alors beaucoup de temps à des tâches matérielles, construisant des chapelles, des Séminaires, des centres de promotion humaine, de catéchèse etc. Toujours je cherchais de l'argent pour édifier des maisons et pour nourrir nos séminaristes. Le Seigneur m'a permis de vivre tout cet activisme et à cause de l'excès de travail, je suis tombé malade. Le 14 juin de cette année 1973 lors d'une assemblée du Mouvement des Familles Chrétiennes, je me sentis mal, très mal. On dut me transporter immédiatement au Centre Médical National. J'étais si mal que je ne pensais pas pouvoir passer la nuit. Je crus réellement que j'allais mourir très vite. J'avais très souvent médité sur la mort, mais je n'en avais jamais fait l'expérience et, cette fois, je l'ai faite et je n'ai pas aimé ça.

Les médecins me firent des analyses très précises, détectant une tuberculose pulmonaire aiguë. En voyant que j'étais si malade, je pensais rentrer à Québec au Canada, mon pays, là où vit ma famille. Mais, j'étais alors si faible que je ne pouvais pas le faire. Je dus attendre quinze jours et prendre un traitement avec des reconstituants pour faire le voyage. Au Canada, on me fit entrer dans un centre médical spécialisé où les médecins me réexaminèrent pour vérifier la nature de la maladie. Le mois de juillet passa en analyses, biopsies, radios etc. Tout cela confirma scientifiquement que la tuberculose pulmonaire aiguë avait produit de graves lésions dans les deux poumons. Pour me donner un peu de courage, ils me dirent que, peut-être, après un an de traitement et de repos, je pourrais rentrer chez moi.

Un jour, je reçus deux visites très particulières. D'abord vint le prêtre qui dirige la revue « Notre Dame ». Il me demanda la permission de me prendre en photo pour faire un article intitulé « Comment vivre sa maladie ». Il n'avait pas sitôt pris congé qu'entrèrent cinq laïcs d'un groupe de prière du Renouveau Charismatique. En République Dominicaine, je m'étais beaucoup moqué du Renouveau affirmant que l'Amérique Latine n'avait pas besoin du Don des Langues mais de promotion humaine, et voilà qu'ils venaient prier d'une manière désintéressée pour moi.

Ils venaient prier pour deux choses : pour que j'accepte la maladie et pour que je recouvre la santé. En tant que prêtre missionnaire, je pensais qu'il n'était pas très édifiant que je refuse leur prière. Mais, sincèrement je l'acceptais plus par éducation que par conviction. Je ne croyais pas qu'une simple prière pouvait obtenir la santé.

Eux, ils me dirent très convaincus :

— « Nous allons faire ce que dit l'Évangile "Ils imposeront les mains aux malades et ceux-ci seront guéris." Ainsi allons-nous prier et le Seigneur va te guérir. »

Aussitôt, ils s'approchèrent tout près de la chaise où j'étais assis et m'imposèrent les mains. Moi, je n'avais jamais rien vu de semblable et cela me déplut. Je me sentais ridicule sous leurs mains et j'étais ennuyé car les gens qui passaient dans le couloir nous voyaient par la porte restée ouverte.

Alors, j'interrompis la prière et je leur proposai :

— « Si vous voulez, nous allons fermer la porte... »

— « Oui, mon père, pourquoi pas, répondirent-ils. »

Ils fermèrent la porte, mais Jésus était déjà entré. Pendant la prière, je sentis une forte chaleur dans les poumons. Je pensais que c'était une nouvelle crise de tuberculose et que j'allais mourir. Mais c'était la chaleur de l'amour de Jésus qui était en train de me toucher et de guérir mes poumons malades. Durant la prière, il y eut une prophétie. Le Seigneur me disait : « Je ferai de toi un témoin de mon amour. » Jésus Vivant était en train de donner la vie, non seulement à mes poumons mais aussi à mon sacerdoce, à tout mon être. Trois ou quatre jours après, je me sentais parfaitement bien. J'avais bon appétit, je dormais bien et n'avais aucune douleur. Les médecins étaient prêts à commencer immédiatement le traitement. Cependant, aucun médicament ne correspondait à la maladie qu'ils avaient détectée. Alors, ils firent venir des piqûres spéciales, faites pour les gens qui n'ont pas un organisme normal, mais il n'y eut aucune réaction. Je me sentais bien et je voulais rentrer chez moi, mais on m'obligea à rester à l'hôpital pour que les médecins puissent chercher partout la Tuberculose qui leur avait échappé et qu'ils ne pouvaient trouver. À la fin du mois, après de nombreuses analyses, le médecin-chef me dit :

« Mon père, rentrez chez vous. Vous êtes parfaitement guéri mais cela va à l'encontre de toutes nos théories médicales. Nous ne savons pas ce qui s'est passé. »

Ensuite, haussant les épaules, il ajouta :

— « Mon Père, vous êtes un cas unique dans cet hôpital. »

— Dans ma Congrégation aussi, lui répondis-je en riant. »

Je sortis de l'hôpital sans ordonnance, sans médicaments, ni piqûres. Je rentrais chez moi et je pesais

50 kilos. L'hôpital qui allait me guérir de la Tuberculose me faisait mourir de faim. Quinze jours après, parut le numéro 8 de la Revue « Notre Dame ». À la page 5 se trouvait ma photo à l'hôpital : j'étais assis sur la fameuse chaise avec des sondes, un visage triste et un regard pensif. Au bas de la photo était écrit : « le malade doit apprendre à vivre sa maladie, s'habituer aux allusions voilées, aux questions indiscrètes... et aux amis qui ne le regarderont plus de la même manière. »

Mais, ma santé rendit leur numéro caduque. Le Seigneur m'avait guéri. Certes, ma foi était très petite, peut-être avait-elle la taille d'un grain de moutarde, mais Dieu était si grand qu'il n'avait pas considéré ma petitesse. Ainsi est notre Dieu. S'il dépendait de nous, il ne serait pas Dieu. De cette manière, je reçus dans ma chair le premier enseignement fondamental pour le ministère de guérison : le Seigneur nous guérit, nous guérit avec la Foi que nous avons. Il ne nous demande pas davantage. Seulement cela.

Le 15 septembre, j'assistais à la première assemblée de prière charismatique de ma vie. Je ne savais pas ce que c'était, mais j'y allais car j'avais été guéri et les personnes qui avaient prié pour moi m'avaient demandé de donner le témoignage de ma guérison.

En ce mois de septembre, je commençais à travailler un peu et j'écrivis à mon Supérieur de me donner la permission de passer cette année que j'aurais dû vivre à l'hôpital, à étudier le Renouveau Charismatique au Canada et aux États-Unis. Il me donna la permission et je me rendis aux centres les plus importants de Québec, Pittsburg, Notre-Dame et d'Arizona.

Je me souviens d'un jour où j'étais à Los Angeles, en train de célébrer la messe avec ma nièce et un ami. Après la lecture de l'Évangile en français, je voulus le commenter mais il se produisit quelque chose de très bizarre. Je sentis que ma joue s'engourdissait et je commençais à dire des mots que je ne comprenais pas. Ce n'était ni du français, ni de l'anglais, ni de l'espagnol. Quand cela s'arrêta, je m'exclamai avec surprise :

— « Ne me dites pas que je vais recevoir le don des langues. »

— « C'est pourtant cela, mon oncle, répondit ma nièce, tu parlais en langues. » Je m'étais tellement moqué du don des langues, eh bien, le Seigneur me l'offrit au moment même où j'allais prêcher. C'est ainsi que je découvris ce beau don du Seigneur.

II

NAGUA ET PIMENTEL

A. Nagua

Après cette année que j'aurais dû passer à l'hôpital, je rentrais en République Dominicaine. Mon supérieur m'envoya dans une paroisse de la Ville de Nagua.

À mon arrivée, je convoquais une quarantaine de personnes pour leur donner le témoignage de ma guérison. Je me souviens que j'invitais, alors, les malades à venir en avant pour que l'on prie pour eux. À ma grande surprise, il y avait plus de malades que de gens sains. Cette nuit-là le Seigneur guérit deux malades. L'assemblée explosa de joie et les personnes qui avaient été guéries donnaient leur témoignage partout. Ainsi, humblement, commença une histoire dont nous ne pensions pas qu'elle pourrait être si merveilleuse. Par les guérisons que le Seigneur faisait, notre groupe ressemblait au Banquet du Royaume des Cieux : les invités étaient les boiteux, les sourds, les muets et les pauvres. Chaque semaine le Seigneur guérissait des malades. En Août, il guérit Sarah qui avait un cancer de l'utérus. Elle était condamnée et était sortie de l'hôpital pour aller mourir chez elle. On l'amena à la réunion et pendant la prière pour les malades, elle sentit une profonde chaleur dans son ventre et commença à pleurer. Peu à peu, elle se rendit compte que la maladie disparaissait. Quinze jours après, elle était complètement guérie et revint au groupe de prière portant son linceul dans ses mains : les vêtements que ses enfants lui avaient achetés pour son enterrement. Les gens venaient nombreux. Tous chantaient avec joie et louaient Dieu spontanément. Devant les guérisons et les prodiges, ils éclataient en sanglots, c'était des larmes de bonheur et ils racontaient à tout le monde ce qui se passait dans la paroisse. Après ces réunions si heureuses et si belles quelques prêtres commencèrent à dire sarcastiquement : « le père Émilien a été guéri de Tuberculose mais il est malade de la tête. » Parce que je priais en langues et que je croyais dans le pouvoir de guérison du Christ, ils affirmaient que j'étais devenu fou. Le Seigneur nous dit par une prophétie : « Moi, je travaille dans la Paix. Je vous donne ma paix. Soyez des messagers de Paix. Je commence à répandre mon Esprit sur vous. C'est un feu dévorant qui va envahir la ville entière. Ouvrez les yeux car vous verrez des signes et des prodiges que beaucoup ont désiré voir mais n'ont pas vus. C'est moi qui vous le dis et qui le ferai. »

Nous étions sûrs d'être devant l'œuvre du Seigneur. Les miracles furent toujours si nombreux que je ne pouvais les compter. Des couples qui vivaient en concubinage se marièrent, des jeunes furent libérés des drogues et de l'alcoolisme. C'était la pêche miraculeuse. Après avoir longtemps jeté l'hameçon, le Seigneur remplissait tellement les filets que j'imaginais presque que la barque allait s'enfoncer (Luc 5,7).

Jésus était en train de libérer son peuple des chaînes de l'esclavage. Les jeunes qui ne s'intéressaient plus à l'Église ni à la Foi commencèrent à vivre et à proclamer que Jésus était leur libérateur. Dans une retraite paroissiale nous annoncions Jésus et ensuite nous priions pour la santé des malades durant l'Eucharistie. La première parole de science que j'eus, fut : « Il y a ici une femme qui est en train de guérir d'un cancer. Elle sent une forte chaleur dans son ventre. » Je continuais à prier, il y eut d'autres paroles de science qui furent confirmées par les témoignages. Cependant, personne ne répondit à la première parole. Le lendemain, une dame, devant le micro dit à tous :

— « Peut-être serez-vous surpris de me voir ici. Je suis une pécheresse, une femme publique, cela fait de nombreuses années que je me prostitue. Hier, je suis venue à la messe de guérison, mais à cause de ma vie, j'ai eu honte d'entrer et je suis restée un peu à l'écart derrière la palissade. J'avais un cancer. J'ai eu deux opérations qui n'ont pas arrêté le mal, mais quand le prêtre a dit qu'une personne était en train de guérir du cancer, j'ai senti que c'était moi. »

Le Seigneur la guérit non seulement du cancer de son corps mais aussi de celui de son âme. Elle se repentit et communia le lendemain. Quand je la vis communier avec une telle joie et de telles larmes de bonheur sur le visage, je me souvins du retour du fils prodigue qui mange le veau gras que son père avait fait tuer. Elle recevait l'Agneau de Dieu qui enlève le péché du monde, purifiant son âme et changeant de vie. Elle retourna au bordel pour témoigner devant ses compagnes avec des larmes dans les yeux.

— « Je ne viens pas vous dire d'abandonner cette vie. Je veux seulement vous parler de mon ami Jésus qui m'a racheté et a changé ma vie. »

Elle leur raconta sa guérison et sa conversion. Ensuite, elle demanda la permission de faire un groupe de prière dans le bordel et tous les lundis on y fermait les portes au péché et on les ouvrait au Cœur de Jésus. Il y avait la Prière, la Lecture de la Parole et des chants.

Le Seigneur n'acheva pas là son œuvre. Un an après une retraite fut organisée pour 47 prostituées de la ville. C'est là que j'ai vu agir avec le plus de puissance la Miséricorde de Dieu. Il y eut repentir, conversion et confession : 27 abandonnèrent leur ancienne vie et d'après des informations récentes, 21 ont persévéré dans le chemin du Seigneur. Quelques-unes même sont devenues catéchistes, d'autres animent des groupes de prières, témoignant que l'amour miséricordieux de Dieu les a transformées. Sur les 21 maisons closes de la rue Mariano Pérez, seules 4 sont restées. Des membres du même groupe de prière s'y sont rendus et le Seigneur les a transformés. Il faut rappeler ici, le cas d'une autre de ces femmes dont Jésus dit qu'elles entreraient dans le Royaume des Cieux avant les scribes et pharisiens. Diane fut touchée par l'amour de Dieu et se donna au Seigneur. Cependant, son rétablissement fut lent et douloureux. Elle eut même une rechute à cause de problèmes économiques. Quand elle s'était éloignée du Seigneur, Il lui parla et lui dit : — « Diane, qui me suit chemine dans la lumière et ne manque de rien. » Elle se repentit et revint au Seigneur. Elle devint même catéchiste et aujourd'hui elle rend témoignage avec force dans les retraites de la miséricorde du Seigneur. Elle fait partie d'un groupe d'Évangélisation et beaucoup de prêtres voudraient le pouvoir qu'elle a pour proclamer la vie nouvelle dans le Christ Jésus. Selon des statistiques officielles, à Nagua, il y avait 500 bordels. Plus de 80 % fermèrent leurs portes. Toutes les femmes ne se sont pas converties, mais toutes furent atteintes par le message de Jésus Vivant. Plusieurs de ces maisons qui étaient au service du péché et de l'égoïsme sont devenues des maisons de groupes de prière. Le changement fut si net, qu'on dit même :

— « Nagua était la ville de la prostitution, mais maintenant c'est la ville de la prière. » Aujourd'hui, il n'y a pas de rue à Nagua qui n'ait son groupe de prière. Ce sont des groupes qui évangélisent, annoncent et amènent les gens à une rencontre personnelle avec Jésus Vivant. Le cas de Nagua nous donne une idée à présent de ce que sont les charismes d'évangélisation. Ce ne sont pas des ornements accidentels mais des véhicules d'évangélisation. Il y a beaucoup de gens qui refusent les charismes disant qu'ils n'ont pas d'importance. Je leur rappelle simplement que NAGUA fut secouée par l'Évangile et perdit sa réputation de « Ville de la prostitution » grâce à une retraite de prostituées. Cette retraite a été menée à bien grâce à une femme qui telle Marie-Madeleine, a suivi Jésus et a rendu ensuite témoignage. Pourquoi? parce qu'elle fut guérie d'un cancer. Une pauvre guérison physique a entraîné une transformation sociale. C'est ainsi que s'instaure le Royaume de Dieu, à travers des événements aussi petits et simples, comme des grains de moutarde qui en germant, donnent des fruits abondants. Qui sommes-nous, nous les hommes pour mépriser les chemins de Dieu?

B. Pimentel

J'étais heureux à Nagua en travaillant avec les groupes de prière mais l'Esprit-Saint m'avait préparé une grande surprise. En vérité, les chemins de Dieu sont différents des nôtres (Is 55, 8) mais bien meilleurs que tout ce que nous pourrions demander ou imaginer (Éphésiens 3, 20). Le père provincial me demanda de remplacer momentanément un prêtre qui partait en vacances. Sincèrement j'avais beaucoup de peine de quitter NAGUA. Nous voulons toujours nous sécuriser avec ce que nous avons, voilà qui nuit beaucoup aux surprises de l'Esprit. La vie dans l'Esprit est une vie de dépouillement, elle consiste à ne pas faire siennes les choses de Dieu, pas même ce que nous appelons «notre ministère». Nous sommes appelés à être d'éternels pèlerins qui vivent sous des tentes provisoires, prêts toujours pour le voyage sans billet de retour. C'est que lorsque nous ne possédons rien, nous sommes capables de tout avoir. Le 10 juin 1974, j'arrivais à ma nouvelle destination: Pimentel est un village sympathique situé au centre du pays et encadré par une plaine fertile, riche en riz, pommes de terre, cacao et oranges, grâce aux eaux du fleuve Cuaba. Le village n'est traversé que par une rue non pavée par laquelle passent, ânes, chevaux et une automobile et un bus de temps en temps. Le drapeau national flotte sur la mairie et il est salué par la svelte palmeraie et les acacias du jardin public. De l'autre côté, se trouve la paroisse St-Jean-Baptiste dont le nom me fit songer que ma mission, comme celle de toute personne qui évangélise, était celle d'un précurseur qui prépare la venue du Sauveur. L'esprit m'avait amené là pour être le témoin de la lumière du Christ ressuscité. À mon arrivée, je me rendis chez le prêtre qui avait déjà bouclé ses valises. Je lui demandai seulement la permission d'organiser un petit groupe de Renouveau, car sans prière, je ne pouvais travailler.

Cela lui déplut, il avait peur. Il ne me le refusa pas car j'allais le remplacer pour qu'il puisse prendre ses vacances, mais il me dit:

— « C'est bon, fais le groupe, mais sans charismes. »

— « Bon, lui dis-je, mais les charismes ce n'est pas moi qui les donne. Cela vient de l'Esprit-Saint. S'il veut donner des charismes à tes gens, qu'y puis-je ? »

— « Fais ce que tu voudras, » me répondit-il et il prit congé.

L'été de cette année-là fut très chaud, comme le présage de l'Esprit qui nous envahirait. Celui qui ne croit pas que nous avons un Jésus Vivant qui aujourd'hui fait des merveilles ne doit pas lire ce qui suit car cela paraît incroyable.

a) *Première réunion*

Pendant la messe du premier dimanche, j'invitais les gens à une conférence sur le Renouveau Charismatique leur promettant de leur raconter le témoignage de ma guérison. Deux cents personnes y assistèrent mais ces gens avaient une telle foi que cette nuit-là ils avaient amené un paralysé sur un brancard. Sa colonne vertébrale avait été brisée et il ne marchait plus depuis cinq ans et demi. Quand je les vis arriver avec lui, je pensai qu'ils étaient trop audacieux mais ils me firent penser à ces quatre autres qui apportèrent leur ami paralytique à Jésus (Marc 2, 1-12). Nous priâmes pour lui et demandâmes au Seigneur, par le pouvoir de ses saintes plaies, de guérir ce paralysé. L'homme commença à suer abondamment et à trembler. Alors je me rappelai que, lorsque le Seigneur m'avait guéri, moi aussi, j'avais senti une grande chaleur. Alors je lui dis :

— « Le Seigneur est en train de te guérir, lève-toi au nom de Jésus ! »

Je lui donnai la main et il me regardait, très surpris. Avec beaucoup d'efforts, il se leva et commença à marcher lentement.

— « Continue à marcher au nom de Jésus, lui criai-je, le Seigneur est en train de te guérir. »

Lui, il faisait un pas puis un autre. Il s'approcha du Saint Sacrement et en pleurant, rendait grâce à Dieu. Tout le monde louait le Seigneur tandis que celui qui avait été guéri sortait en portant son brancard sous son bras. Ce jour-là, dix autres personnes furent guéries par l'amour de Jésus-Christ. Comme les gens ont soif de prière. Ils s'approchent de nous en nous demandant de leur apprendre à prier. Comme Jésus, nous devons le leur apprendre en priant avec eux. Nous ne pouvons pas laisser passer cette merveilleuse opportunité. Si nous parlions moins du Seigneur et si nous lui parlions plus à lui comme notre monde changerait vite. Certainement, le Seigneur aime que nous parlions de lui mais il aime beaucoup plus que nous parlions avec lui.

b) *Deuxième réunion*

Le mercredi suivant, vinrent 3 000 personnes. Alors, nous fîmes la réunion dans la rue car l'Église ne pouvait nous contenir tous. Comme on ne pouvait faire un groupe de prière avec un tel monde, je prêchai une demi-heure avant de célébrer l'Eucharistie pour les malades. Il y avait là une femme du nom de Mercedes Dominguez. Elle était aveugle depuis 10 ans et durant la prière, elle sentit un grand froid dans les yeux. Elle rentra chez elle, très bouleversée en disant à tout le monde qu'elle pouvait voir un peu. Le lendemain, quand elle se réveilla, elle était complètement guérie. Le Seigneur lui ouvrit les yeux et elle ouvrit sa bouche pour témoigner partout de sa merveilleuse guérison qui impressionna beaucoup de gens du village.

c) *Troisième réunion*

Imaginez ce qui arriva lors de cette troisième semaine. Nous allâmes au jardin public, à l'air libre, célébrer la Gloire du Seigneur. C'était comme quand Jésus arrivait à Capharnaüm ou Bethsaïde. Le même Jésus, Vivant, arrivait dans notre village. Le jardin ressemblait à la Piscine de Bezatha « pleine de malades, d'aveugles, de boiteux ou de paralytiques attendant leur guérison. » (Jean 5, 1-2) Bezatha « Maison de la Miséricorde. » Pimentel, le plus petit des villages, était devenu le lieu choisi par Dieu pour montrer sa miséricorde. Le Ministère de Guérison est le Ministère de la Miséricorde de Dieu. Cette nuit, il y avait plus de 7 000 personnes. Nous avons fait la même chose : prêcher l'amour de Jésus, lui qui est Vivant dans son Église et continue à agir par des signes et des prodiges. Nous avons célébré la Messe et le Seigneur a commencé de nouveau à guérir des malades. C'était presque exagéré. Comme aux Noces de Cana, quand le Seigneur transforma l'eau en vin : il en resta tant qu'on eut pu organiser d'autres noces. Quand nous lui demandons quelque chose, Lui, nous donne tout car son pouvoir n'a pas de limite pas plus que son amour. Il ne guérit pas seulement deux, trois personnes mais un nombre immense. La police était très ennuyée car elle devait faire des heures supplémentaires pour surveiller une circulation aussi énorme pour un si petit village. Alors les agents demandèrent au chef de police d'interdire ces réunions. Lui, il ouvrit les mains et leur répondit avec un sourire :

— « Moi aussi, j'aurais voulu les interdire mais mon épouse a été guérie lors d'une de ces réunions. » Cela faisait douze ans qu'elle était malade. Elle fut touchée par l'amour de Dieu. Quelques jours après, ils reçurent le sacrement de mariage. Comme le Seigneur avait tout prévu, au lieu d'interdire la réunion, la Police nous donna 18 agents en plus pour organiser la circulation durant la réunion suivante.

d) *Quatrième réunion*

C'était le 9 juillet, jour de l'anniversaire de mon retour en République Dominicaine. Depuis 9 h du matin, arrivaient autobus et camionnettes avec des gens de tout le pays. Les chauffeurs de taxi eux-mêmes nous faisaient de la publicité car c'était aussi leur avantage. Cet après-midi-là, il y eut quelque 20 000 personnes en prière. Il y avait tellement de monde que nous dûmes monter sur le toit pour y installer l'autel et les porte-voix. Savez-vous comment Dieu s'est «vengé» de la Police qui voulait mettre un terme à ces réunions? Cette nuit, il guérit un policier qui souffrait d'une hémorragie cérébrale qui l'avait à moitié paralysé. À partir de ce moment-là, tous les policiers étaient de notre côté. En vérité, la manière dont Dieu en finit avec les problèmes est meilleure que la nôtre. Une dame, connue de tout le village, était sourde depuis 16 ans et elle guérit complètement. Elle sentit d'abord un bourdonnement et se rendit ensuite compte qu'elle entendait parfaitement la prédication. Le lendemain, elle alla au marché et un employé dit à son compagnon:

«— Voilà la sourde, nous allons lui faire une plaisanterie en bougeant notre bouche sans prononcer un seul mot.» Mais elle entendit ce qu'ils disaient et leur répondit avec bonheur:

— «Non, Messieurs, je ne suis plus sourde, car le Christ m'a guérie hier soir». Elle témoignait ainsi non seulement de sa guérison, mais aussi du pouvoir de Dieu. Un homme qui ne pouvait marcher qu'à quatre pattes fut aussi guéri ce jour-là. Il y eut une profusion de guérisons et de prodiges. Nous vîmes de tout. C'était vivre en couleurs, sur le vif et en direct, ce que dit l'Évangile. C'était Jésus ressuscité cheminant parmi nous et sauvant son peuple. Cette nuit, il y eut plus de cent guérisons, selon les témoignages qui nous parvinrent.

e) *Cinquième réunion*

Pour la cinquième réunion notre équipement sonore s'avéra insuffisant. La Police fit un calcul pour évaluer cette multitude en partant du mètre carré. Ils étaient 42000. Il vint du monde depuis Puerto Rico, Haïti et de toutes les paroisses du pays. Les rues étaient pleines, les toits bondés et la petite rue congestionnée par les autobus, les voitures et les camionnettes. Les gens sont venus en si grand nombre, tout simplement parce que le Seigneur Jésus n'a pas encore changé ses méthodes de travail. Tandis que nous, nous cherchons des méthodes pastorales plus efficaces et plus en accord avec notre temps, le Seigneur continue avec la sienne : il parcourait la Galilée en guérissant les malades, alors les multitudes le suivaient et lui, il prêchait la Parole de Salut (Luc 6,17-18). Aujourd'hui, il fait toujours de même. Il guérit les malades, les gens se réunissent par milliers et nous proclamons le Royaume de Dieu. C'est tout simplement l'Évangile qui se répète. Je commençais à m'effrayer un peu car ces pauvres gens voulaient me toucher et que je prie pour chacun d'entre eux. Cette nuit-là, ils m'arrachèrent tous les boutons de ma chemise et faillirent m'écraser. Il y avait aussi un problème: les gens qui avaient voyagé toute la journée ne trouvaient pas de nourriture dans le village et repartaient affamés mais pleins de l'amour de Dieu. Alors, nous priâmes et demandâmes au Seigneur sa lumière pour savoir ce qu'on devait faire de tout ce monde. C'est lui qui nous avait placés devant ces problèmes, il devait nous en sortir. Durant la prière, il nous donna un message en langues à travers EVARISTO GUZMAN. Afin qu'il n'y ait aucun doute c'est à moi-même qu'il en donna l'interprétation : « Évangélisez mon peuple. Je veux un peuple de louange.» Nous ne devons pas avoir peur des grandes foules. Le Seigneur nous les envoie pour que nous leur proclamions sa Parole de Salut. Ceux qui craignent les prodiges du Seigneur ont peur du « Seigneur des prodiges.»

Quelques-uns s'étonnent que le Seigneur réponde aussi vite aux prières. Moi, je leur dis qu'il serait « étonnant» que Lui, étant si bon, ne réponde pas: « Avant même que vous ne m'appeliez, Moi je répondrai et vous serez encore en train de parler, déjà Moi je vous écouterai.» (Is. 64,24).

« Demandez et vous recevrez... Cherchez et vous trouverez, frappez et l'on vous ouvrira...» (Luc, 11, 9-13).

Que pensait Monseigneur Antonio Flores, évêque de la Vega, devant tout cela? Il était ouvert, mais inquiet devant une telle publicité de la presse, de la radio, de la télévision. J'allai lui rendre visite et le trouvai dans la chapelle. Nous priâmes ensemble et fûmes d'accord pour diviser l'immense assemblée en petits groupes comme nous l'avions fait auparavant à Nagua. Je rentrai heureux, car l'Esprit-Saint, l'évêque et moi étions en complet accord. Nous fîmes aussitôt un communiqué qui fut diffusé par la radio, la télé et expliquait que la grande assemblée était suspendue et que les gens étaient invités à se réunir dans leur propre paroisse pour prier. Le Seigneur avait son plan au sujet des événements de Pimentel; réveiller son peuple, secouer son Église et montrer par des signes et des prodiges qu'il est Vivant et donne sa vie en abondance à ceux qui croient en son nom. Commençait alors un autre type de travail, plus profond et plus délicat. Former des responsables de petits groupes de prière. Nous eûmes une retraite à la fin de la semaine avec les plus engagés. Nous leur expliquâmes ce qu'est la réunion de prière, le Renouveau Charismatique, le Baptême dans l'Esprit-Saint et les Charismes et « nous les recommandâmes à la grâce de Dieu.» (Actes des Apôtres 20,32). Trois jours après, eux assuraient la coordination entre 45 groupes éloignés en divers lieux de la paroisse. Il y avait des groupes sous les arbres, dans l'église, dans les maisons et partout. Toute la ville était devenue une maison de prière.

Pour que les gens fixent leur regard sur Jésus et non sur un homme, moi, cette nuit-là, je m'éloignai de la paroisse. Le Seigneur, lui, restait et continuait à guérir les malades. Lors d'une visite que nous fîmes en 1984, afin que ce livre soit publié, on nous offrit un cahier sur lequel étaient annotés 224 témoignages de guérisons réalisées en l'un des groupes qui se réunissait dans la maison de Guara Rosario dans la rue Colomb. Dans la seule nuit du 13 novembre 1975, il y avait 22 témoignages de guérison. Peu après, ils devinrent si nombreux qu'on cessa de les consigner par écrit. Nous demandâmes si le Seigneur se manifestait toujours autant qu'avant et ils nous répondirent avec une merveilleuse simplicité : « non, non mais c'est que maintenant, il n'y a plus autant de malades. »

f) *Dimanche des Rameaux*

Le Seigneur entra triomphalement non seulement dans la petite ville de Pimentel mais aussi dans le pays entier et bien au-delà de ses frontières. Tout fut si merveilleux que cela ressemblait à un rêve. Jamais ma vocation missionnaire ne m'était apparue aussi fascinante et belle. Le Seigneur entra dans les moyens de communication en guérissant la mère d'un présentateur de la télévision. C'est lui qui se chargea de rendre témoignage devant les caméras. Il entra aussi à la Chambre des Députés guérissant une femme député de douleurs au cou. Plus tard, j'appris que les éditeurs de la Revue française « Il est Vivant » écrivirent à l'évêque pour lui poser des questions sur l'authenticité de ce qui s'était passé à Pimentel. L'évêque répondit à leur lettre le 15 octobre 1975 en disant textuellement : « Le témoignage du Père Emilien Tardif est authentique. » Sa lettre fut publiée dans le numéro 6-7 de la revue. En ces jours-là, nous étions comme en haut du Mont Thabor, nous contemplions la Gloire du Seigneur. Nous partagions avec Jésus ce que son Père avait dit : « Tu es mon fils bien-aimé en qui j'ai mis tout mon amour. » Le 16 juillet, le Seigneur nous fit prévenir par une prophétie pour nous annoncer que nous serions attaqués, ridiculisés mais que nous ne devions pas craindre car lui, il avait déjà vaincu le Monde. Trois mois après, le prêtre revint de vacances. Il fut très surpris par ce qu'il trouva et ce que les gens lui racontèrent. Tout était si extraordinaire qu'il ne pouvait pas le croire. Le Seigneur avait visité son peuple, suscitant une force salvatrice dans sa paroisse, faisant miséricorde aux siens, allumant une lumière au milieu des ténèbres pour que, libérés de toute crainte, nous puissions le servir avec sainteté et justice tous les jours de notre vie. Le Seigneur avait guéri des hommes et des femmes, un policier et une enfant, des gens venus de loin et des malades incurables. Le Seigneur avait évangélisé son peuple en lui annonçant la Bonne Nouvelle du Royaume, se servant même des moyens de communication tels que la presse et la télévision. C'était le Dimanche des Rameaux : le Seigneur entrait triomphalement dans sa ville.

Quand je quittai la paroisse de Pimentel pour rentrer à nouveau à Nagua, la rue était déserte. Le vent soufflait doucement, berçant les palmiers et caressant le drapeau qui avait été témoin des merveilles du Seigneur. Je ressentis la nostalgie de ces foules que j'avais vues. Alors, passa un petit âne qui trottait joyeusement et me regarda avec ses grands yeux. Il se mit à braire montrant dans un large sourire toutes ses dents comme pour me dire :

« — Tu n'es que l'âne qui a amené Jésus à ce village et maintenant tu dois rentrer à Betfagué. La Gloire, les palmes et la Reconnaissance sont pour celui dont tu étais chargé, et pas pour toi. Toi, comme Jean Baptiste tu dois diminuer pour qu'Il grandisse. Émilien doit mourir pour que le Christ vive en Lui ; Ta gloire est que le Christ soit glorifié ; ton privilège : annoncer l'Évangile. » L'âne bougea la queue en me disant: « au revoir, adieu » et il s'éloigna. Moi je rentrais à Nagua en bondissant de joie.

g) *La Semaine Sainte*

Tout avait été comme un crépuscule aux mille couleurs et le Seigneur avait été splendide, bien plus que nous n'aurions pu l'imaginer. Nous n'étions pas encore dégrisés du vin enivrant de son amour quand de noirs nuages sillonnèrent le ciel. Soudain tout s'obscurcit et le soleil se cacha. Quoique je sus que le Seigneur était avec moi, les vents de la tempête commencèrent à souffler avec fureur. Le secrétaire de la Santé m'accusa à la télévision d'avoir abusé de l'ignorance du peuple, lui faisant croire qu'il guérissait. Il dit que j'étais un charlatan, que je trompais le peuple, il demandait pourquoi je n'allais pas faire la même chose dans un pays développé comme le Canada. D'autres m'attaquèrent, en disant que, comme étranger, je ne connaissais pas le peuple et que toutes ces guérisons et tous ces miracles mèneraient le peuple au spiritisme et à la sorcellerie. Moi, je leur répondis qu'assurément, je ne connaissais pas le peuple autant qu'eux mais que je connaissais très bien Jésus et que jamais il ne conduit au spiritisme et à la sorcellerie. Bien au contraire. Quand c'est lui qui agit, il fait bien les choses et nous ne devons pas avoir peur. À la radio, dans la presse, à la télévision, il y eut beaucoup d'attaques. En quelques jours, j'étais devenu un sorcier et un menteur. Parce que je croyais et proclamais que Jésus était Vivant, sauvait et guérissait son peuple, on disait que j'étais fou, fanatique, etc. En moins de 24 heures, la presse qui m'admirait luttait à présent contre moi. Alors, je compris la fragilité de la gloire que le monde offre et quelle folie c'était de rechercher l'opinion d'autrui. En quelques heures l'écume de la gloire est détruite. Mais, ma confiance était en Jésus, qui est le même hier, aujourd'hui et demain et toujours. Mais, comme je ne m'étais pas occupé d'eux quand ils parlaient de moi en bien, quand ils se mirent à me critiquer cela ne m'affecta guère. J'avais dans mon cœur une paix, une paix profonde. Certains, qui se disaient psychologues vinrent me dire que ces guérisons causées par l'effet de masse ou par l'hystérie collective étaient naturelles et n'avaient rien de miraculeux. Je leur répondis simplement qu'il y avait alors une grande injustice dans le fait que, sachant tout cela, ils n'organisaient pas des réunions tous les soirs pour guérir les malades du pays. D'autres nous accusaient d'être «émotionnalistes». Moi je leur répondais que l'émotionnalisme cherchait l'émotion pour l'émotion mais que nous, nous cherchions le Seigneur, ce qui était toujours émouvant. Trouver le Trésor Caché est émouvant et exaltant. Le signe qui montre que quelqu'un a trouvé le Trésor est la Joie qu'il lui donne. D'autres attaquaient l'immaturité des gens en disant:

— «Toute cette foule ne vient que par curiosité et à cause des guérisons.» Moi, je leur répondais:

— «Qu'importe la raison pour laquelle ils viennent? Ce qui compte c'est qu'ils soient là pour que nous les évangélisions. Sûrement Zachée n'est-il pas monté sur le sycomore pour réciter son chapelet mais par pure curiosité car «il voulait voir Jésus.»

Ils allèrent même jusqu'à me demander si je n'étais pas devenu fou. Alors, je leur répondis:

— «Moi aussi je me le demande car maintenant je ne peux parler que du Seigneur.»

Les prêtres voisins devinrent jaloux. Un groupe d'entre eux demanda à mon Provincial de me faire sortir du pays car avec ces bêtises, disaient-ils, j'allais détruire les structures de la Pastorale. Moi, je leur répondis que Jésus n'avait pas été envoyé pour sauver les structures pastorales mais son peuple et que c'était la seule chose qu'Il était en train de faire au milieu de nous. Ils m'accusaient de vider les paroisses mais moi, je n'invitais personne. Moi, je proclamais l'évangile. Un prêtre me disait que nous exagérions et qu'il fallait aller plus lentement. Son argument était le suivant:

— « Si tu me parlais de 2 ou 3 guérisons, peut-être pourrais-je commencer à y croire. Mais vous les Charismatiques vous êtes fous, vous parlez de tant de miracles... »

— « C'est que tu ne connais pas réellement Jésus », lui dis-je.

— « Si, me répondit-il, mais à Lourdes, il y a un centre médical pour étudier les guérisons et on dit qu'il y a très peu de guérisons miraculeuses. Par contre, vous. »

— « Mais, répondis-je, le critère de notre Foi n'est pas le centre médical de Lourdes mais l'Évangile et celui-ci parle de tant de miracles... »

Saint Marc, le plus ancien des évangélistes nous parle de 18 miracles et guérisons de Jésus en 16 chapitres. Si nous enlevions ces signes du Pouvoir de Dieu dans l'Évangile de Marc, il ne resterait que quelques pages, une ou deux. Nombreux sont ceux qui, pour avoir éliminé cet aspect, n'ont qu'un Évangile mutilé, pauvre, réduit à de la doctrine et à des théories. L'Évangile est une Vie à vivre dont il faut faire l'expérience et rendre témoignage. La première fois que les Actes des Apôtres se réfèrent au Christianisme, ils le définissent comme « Vie » (Actes 5, 20). On m'attaqua tellement, de toutes parts (même ceux dont on pouvait penser qu'ils étaient du côté de Jésus) que je dus faire paraître un article dans la revue « Ami du Foyer » en août 1975. Il s'intitulait : « C'est la faute de Jésus ». Entre autres choses, j'y disais : « Face aux risques réels qu'il y a de tomber dans le fanatisme à cause des miracles, nous tombons dans l'extrême opposé, parfois plus grave que le premier, qui est d'oublier que Dieu est le maître de l'impossible. La guérison est réellement la réponse à une prière de Foi, comme nous le voyons tant de fois dans l'Évangile. Cette prière peut être celle du malade ou de ceux qui l'accompagnent, de la communauté ou d'une personne. Jésus est le même hier, aujourd'hui, et toujours. C'est lui le Maître de l'histoire et il agit comme il en a envie sans nous demander notre avis ou permission pour réaliser ses prodiges. Qui sommes-nous donc pour nous opposer ou essayer de mettre une limite à l'œuvre de notre Dieu ? Nous sommes convaincus qu'Il ne s'oppose pas à la médecine, mais très souvent des milliers de personnes n'ont pas d'argent pour payer le médecin, la clinique, les médicaments.

Qu'y a-t-il de surprenant à ce que Dieu s'occupe des pauvres et que personnellement il les secoure ? Pourquoi fermer la porte à ceux qui ont cru en cette Parole de Jésus qui dit : « Venez à moi vous tous qui êtes fatigués et épuisés, et Moi je vous soulagerai. » Serait-ce que nous nous sommes accommodés à un christianisme fait à notre mesure ? Le Seigneur par ces signes vient nous montrer qu'il est Vivant et il vient nous interpeller car s'il est Vivant, toutes ses exigences sont valables. Le problème c'est que « Jésus est Vivant et pas mort. » Peu après, je me rendis compte que dans cet article, j'avais commis une double erreur : prouver les guérisons en donnant les noms et adresses de personnes guéries, pensant que ce serait l'évidence des faits et non la grâce de la Foi qui transformerait leurs cœurs. Je leur donnai le signe du ciel qu'ils demandaient mais ils ne se convertirent pas car les signes ne sont que des signes : seule la Foi nous fait reconnaître ce qu'ils signifient, que Dieu aime les hommes, que le Christ est Vivant et que l'Église a la puissance de l'Esprit-Saint pour ressusciter les morts. Le Seigneur me permit de me reprendre et de me rendre compte que je ne devais pas me défendre des attaques, pas plus que lui ne s'était défendu de ceux qui l'accusaient. Si je me défendais avec mes moyens et mes arguments je ne le laissais pas Lui être mon défenseur avec ses moyens et ses arguments. D'autre part, me défendre revenait à renoncer à la purification que le Seigneur voulait faire dans ma vie. À travers tant d'attaques et d'incompréhensions, le Seigneur voulait nous façonner d'après l'image de son Fils, en passant par la nuit du calvaire pour atteindre la gloire de la résurrection. Le temps m'a convaincu que les flatteries sont plus dangereuses que la critique, car celle-ci peut être le feu qui purifie et brûle les impuretés de notre cœur, tandis que les flatteries ont été l'objet de l'une des paroles les plus dures de Jésus : « Malheur à vous, quand tout le monde parle en bien de vous, car c'est ainsi qu'on été traités les faux prophètes.» (Luc 6, 26).

Inconsciemment nous pouvons oublier que nous sommes de simples vases d'argile mais le Seigneur se charge de nous le rappeler au moyen de la Croix de l'incompréhension. Le Seigneur dans sa Miséricorde nous purifie et nous humilie pour que nous ne dérobions pas la Gloire qui revient à Lui seul. La Croix est le désert où se manifeste le Dieu Vivant. Mais il faut ôter ses sandales pour s'approcher du buisson ardent. La critique est semblable au parvis du Temple qui nous prépare à entrer limpides et purs dans le Sanctuaire du Dieu Vivant... libres de toute attachement et les attachements les plus dangereux sont ceux que nous appelons « nos mérites et « nos activités apostoliques ». Les attaques devinrent si violentes et continuelles que je pensais parfois ne plus pouvoir résister. De toutes parts on me persécutait. Moi-même, je me sentais seul, sur un chemin nouveau. C'est alors que je demandai à une sœur pleine de Dieu de prier pour moi. Elle le fit et me donna une prophétie qui me réconforta. Le Seigneur me dit : « Après avoir savouré la joie du Dimanche des Rameaux, ne te semble-t-il pas normal de goûter un peu à la Semaine Sainte ?» Cette parole me guérit intérieurement ; depuis lors, je vois les problèmes d'une manière distincte dans une paix complète. Quand les choses vont bien, je dis : « nous sommes le Dimanche des Rameaux.» S'il y a des difficultés, j'affirme simplement : « c'est la Semaine Sainte». De toutes manières, la Pâque n'est pas loin, gloire à Dieu.

Dieu, avant de m'emmener au calvaire, me fit goûter la gloire du Thabor. Mais il ne m'a pas laissé dresser là-haut ma tente, il m'a fait descendre et participer à sa Croix.

Le Seigneur, avant la douleur, nous donne son amour et quand il nous aime, il nous offre, toujours sa Croix. La Croix est le Cadeau de Dieu à ceux qu'il aime. La Croix, avant l'expérience de l'amour de Dieu ne se comprend ni ne peut être acceptée. Dans le plan de Dieu, avant le

Calvaire, il y a le Thabor. Après la Gloire est la Croix qui sauve et nous mène à la Résurrection. Notre vie se développe comme les mystères du Rosaire, il y a les Joyeux, les Douloureux et les Glorieux mais tous et chacun se terminent par « Gloire au Père, au Fils et à l'Esprit. » Chaque jour nous vivons un mystère. Toute notre vie ne peut être joyeuse, glorieuse ou douloureuse mais les mystères se mêlent pour la Gloire de Dieu. La Croix et la Résurrection sont comme les peintures de Rembrandt où ombres et lumières se combinent pour exprimer la beauté. Notre peuple était endormi, plongé dans une léthargie et passif. Le Seigneur est venu et a tout secoué. Les gens consultèrent les prêtres pour leur poser des questions sur ce qui se passait. Alors, les prêtres ont dû lire et s'informer pour donner des réponses adéquates. Il y eut même une réunion de la Commission épiscopale pour faire une déclaration. Cela était très important pour moi. J'étais sûr que c'était l'œuvre de Dieu, mais j'avais besoin du discernement des Évêques. Pour moi, ils étaient la voix de Dieu. Ils publièrent une déclaration intitulée: « Le Pape approuve et encourage les réunions de prière charismatique. » Ensuite, venait le sous-titre suivant: « Monseigneur Pepen (Secrétaire National de l'Épiscopat) approuve l'œuvre du Père Tardif. Quand je lus cela, je fus très content mais j'eus aussi envie de rire et je dis « mais ce n'est pas mon œuvre... » Comme saint Joseph, je n'avais qu'une certitude c'est que cette vie qui avait pris naissance au sein de l'Église n'était pas à moi. Sans savoir comment, ni pourquoi, je reçus une invitation de Monseigneur Carlos Talavera pour prêcher une retraite sacerdotale à Guadalapara au Mexique. À partir de là, surgirent d'autres invitations à proclamer les merveilles du Seigneur dans d'autres pays d'Amérique Latine. Je commence à percevoir qu'une ère glorieuse se lève pour l'Église. Je crois que le temps est arrivé de prêcher hors-murs, hors des enceintes sacrées car il n'y a plus assez de place dans nos temples. Le Seigneur nous emmène jusqu'aux confins de la terre pour rendre témoignage qu'il est Vivant...

Après un voyage à Panama, je repris mes tâches paroissiales. Le lendemain, je me préparais pour visiter une communauté perdue dans la montagne. Je devais voyager sur un âne: Tandis que celui-ci cheminait lentement, je pensais: « Comme mon âne est différent du grand Boeing 747 de la Pam Am. Comme les chemins de Dieu sont merveilleux. En avion ou sur un âne, nous sommes toujours ses messagers. Dix mille ou soixante personnes, ce sont toujours ses enfants. Et, ces « petits » de la Montagne sont les vrais pauvres de Yahvé. Le Seigneur est si merveilleux que quand nous volons en avion, après il nous fait monter sur un âne pour ménager notre humilité. Sur mon âne, j'ai appris une grande leçon: nous sommes appelés à être comme l'âne qui transporta Jésus à Jérusalem le jour des Rameaux. Notre vocation est d'être porteurs du Christ Jésus. Nous sommes des vases d'argile qui portent un précieux trésor dans leurs cœurs. De tous côtés, c'est la même chose. Les signes confirment que Jésus est le Messie, « les aveugles voient, les boiteux marchent, les lépreux sont guéris, les sourds entendent, les morts ressuscitent et on annonce la Bonne Nouvelle aux pauvres. » (Luc 7, 22).

Avant, nous nous efforcions de nourrir un peuple qui n'avait pas faim de Dieu. Le pire était que nous-mêmes n'avions pas savouré le Pain de la Vie Éternelle. Et maintenant, nous n'arrivons pas à nourrir tout le monde. La moisson est abondante, trop abondante mais le Seigneur est encore plus grand et plus puissant.

Le Seigneur a allumé la mèche et maintenant il y a un feu que personne ne peut éteindre. C'est aussi un fleuve d'Eau Vive qui est en train d'inonder l'Église, la purifiant, la rénovant et la sanctifiant. Nos couples qui vivaient en concubinage prirent conscience du fait qu'ils ne pouvaient continuer à vivre ainsi. Ayant découvert l'importance du Sacrement, ils se sont préparés sérieusement pour le recevoir et le vivre. En une année, nous avons célébré 306 mariages, chiffre tout à fait inhabituel. Le plus grand miracle auquel j'ai assisté pendant ces années, c'est que le Seigneur a suscité des ouvriers pour sa moisson. Les catéchistes sont nombreux à présent. Nous en avons tellement que nous devons nous-mêmes les former et les rendre capables de transmettre la Bonne Nouvelle. À la Pentecôte de l'année 1976, nous étions 120 catéchistes à demander une nouvelle effusion de l'Esprit sur nous tous. L'Esprit n'était plus seulement un Don pour la Joie de notre cœur mais une force spéciale pour annoncer au Monde que le Christ vit et donne la vie à ceux qui croient en son nom. J'ai commencé à recevoir des lettres de France, d'Amérique Latine, des Philippines. D'autres m'écrivent de pays que je ne situe même pas sur la carte; parfois je reçois une correspondance dans des langues et avec des signes que je ne comprends pas. Comme je ne comprends pas ce que ces lettres disent, je les dépose tout simplement entre les mains du Seigneur et je lui demande à Lui qui les comprend, de bien vouloir leur répondre.

Je n'ai pas souvenir d'avoir jamais eu une aussi bonne santé qu'à présent. Je mange de tout, je dors bien. Le Seigneur m'a rendu une santé parfaite et je suis heureux de la mettre au service de l'évangélisation de son peuple. Cependant, je crois que le Don le plus grand qu'il m'ait donné est celui de la Joie. Je suis heureux à temps plein. Je n'avais jamais vécu mon sacerdose aussi pleinement qu'à présent.

III

JÉSUS EST VIVANT

Durant le mois de juin 1981, après une journée d'Évangélisation en Algérie et au Maroc, Dieu me fit la grâce de visiter la Terre Sainte. Le lendemain de mon arrivée, je me levais de très bonne heure, avant le lever du soleil et j'entrais dans ces vieilles ruelles tortueuses de la ville de Jérusalem toujours nouvelle, parcourant le chemin de Marie-Madeleine au jour de la Résurrection. En arrivant au Saint Sépulcre, je rencontrai un ami mexicain qui était allé se marier à Cana avec une jolie Portoricaine. En entrant il nous fit remarquer une inscription en grec qui disait :

— « Pourquoi cherchez-vous parmi les morts celui qui est Vivant ? Il n'est pas là, il est ressuscité. »

Je ne suis pas encore sorti de la stupeur de ce petit matin qui est comme l'écho du Dimanche de Pâques. Celui qui est mort sur la Croix a abandonné son tombeau et est Vivant. De l'obscurité de ce tombeau a jailli une lumière qui illumine tous les hommes pour commencer une nouvelle création. Si Jésus n'est pas dans le tombeau vide de Jérusalem, certainement, il est partout dans le monde. Le seul lieu de cette terre où Jésus ne se trouve pas est cette tombe taillée dans la pierre qu'un jour un de ses amis, Joseph d'Arimathie, lui avait prêtée. Jésus n'a pas envoyé ses apôtres enseigner des théories ou des idées abstraites mais rendre témoignage de ce qu'ils avaient vu et entendu. Mais, malheureusement, il semble que nous soyons plus soucieux d'enseigner une doctrine que de communiquer la vie. Pour grandir dans la Vie de Dieu, on doit d'abord être né par le pouvoir du Saint-Esprit. Un évangélisateur est avant tout un témoin qui a une expérience personnelle de la mort et de la Résurrection du Christ Jésus et qui transmet aux autres, plus qu'une doctrine, une personne vivante qui donne la Vie en abondance. Après, seulement après et toujours après on doit enseigner la catéchèse et la morale. Parfois, nous sommes préoccupés du fait que les gens accomplissent les commandements de Dieu avant même qu'ils ne connaissent le Dieu des commandements. Nous ne devons pas oublier que ceux-ci furent donnés après la théophanie du Mont Sinaï. Personne ne peut être un authentique messager de l'évangile si lui-même n'a pas fait l'expé-l'expérience de la nouvelle vie qu'apporte Jésus Christ. Quand nous témoignons de ce que le Seigneur a fait à partir de sa Résurrection, alors tout change. La prédication est accompagnée des signes et des prodiges que le Seigneur a promis. À Janico, le curé nous invita à donner une retraite, nous prévenant que les gens étaient durs et n'aimaient pas aller à l'Église. Nous arrivâmes : la première nuit, il n'y avait pas beaucoup de monde. Mais il y avait, prostré sur le sol, un homme qui ressemblait à une poupée de chiffon qui ne pouvait pas tenir debout. En plus, il était paralysé des deux mains et ne pouvait manger ni marcher par lui-même. En vérité, cela faisait pitié à voir cet homme-là.

En mon âme, je pensais, mais pourquoi amène-t-on cet homme-là ici ? Comme je considérais son aspect si pitoyable, je dis : « nous allons prier pour cet homme pour que vous puissiez ensuite l'emmener avec vous.» Au début de la prière, il commença à suer et à trembler. En le voyant, je me souvins que moi aussi j'avais ressenti une grande chaleur quand le Seigneur m'avait guéri. Alors, je lui dis : « Lève-toi, le Seigneur t'a guéri.» Ensuite, je lui pris la main et lui ordonnai de marcher. Il marcha jusqu'au tabernacle. Là, il dit que cela faisait 19 ans qu'il n'avait pu se tenir debout, ni faire un pas. Moi, je pensais simplement en moi-même qu'il avait mieux valu que j'ignore qu'il était immobile depuis si longtemps sinon je n'aurais pas su lui dire de se lever. Cet après-midi, nous sortîmes tous de l'église, traversâmes la rue et nous assîmes sur le parvis. En s'asseyant, l'homme ajouta :

— « Mais le Seigneur a aussi guéri mes mains, je peux les bouger... »

Grâce à ce paralysé, notre local fut plein le lendemain. Tous les gens ne pouvaient entrer et se tenaient derrière les persiennes et la porte de l'église.

Le jour où nous accepterons le pouvoir qu'a le témoignage, notre prédication changera. Avant, je préparais beaucoup mes homélies. J'étudiais les auteurs classiques et lisais les théologiens modernes. Mes lectures étaient si bonnes et si profondes que je désirais ne rien perdre de ce que je voulais dire. Alors, j'écrivais tout sur un papier et le lisais pour bien profiter de cette richesse que je voulais transmettre. Cependant, le Seigneur m'a transformé sur ce point aussi. Un dimanche, devant mes notes bien rédigées de mon homélie, le Seigneur me dit :

— « Si toi qui as fait tant d'études et a lu tant et tant, tu n'es pas capable de graver cela dans ta mémoire pour le répéter seulement, comment veux-tu que ces gens si simples qui n'ont pas la préparation que tu as eue, le grave en leur cœur pour le vivre ? »

Dès lors, je changeai ma prédication. Maintenant, je ne fais plus que rendre témoignage du pouvoir de Dieu et de ce qu'il est en train de faire et je raconte des exemples de l'amour de Dieu. J'ai encore appris autre chose de très important : l'essentiel n'est pas de bien parler de Jésus mais de le laisser agir avec tout le pouvoir du Saint Esprit. À quoi bon vouloir parler merveilleusement de Jésus si nous pouvons le laisser agir à travers nous ? Le Royaume de Dieu est pouvoir et force qui viennent d'en haut et se manifestent parmi nous.

Une fois, je prêchai très longtemps, plus d'une heure. À la fin de mon homélie, un prêtre s'approcha un peu irrité et dit en montrant sa montre :

— « Je n'ai pas aimé la conférence du Père Tardif, car en 67 minutes, il a parlé de miracles et encore de miracles sans faire allusion à aucun de ceux de l'évangile. » Une autre personne qui l'entendit lui répondit : « Pourquoi parler des miracles d'il y a 2000 ans si on peut parler de ceux que Jésus a fait la semaine dernière ? »

Quant à moi, je n'aurais pas assez de tout le reste de ma vie pour raconter tout ce que Dieu a fait lors de ces dix dernières années, tellement ses merveilles sont nombreuses et innombrables. J'ai prêché déjà dans les 5 continents en disant toujours la même chose car je n'ai rien d'autre à dire. Je répète toujours la même chose : l'amour miséricordieux de Dieu. Je suis témoin de l'amour de Dieu pour les hommes, tous les hommes de tous les pays et de toutes les langues. Le pouvoir de l'Esprit-Saint m'a transformé en un témoin du Christ Vivant. Parfois on n'a même pas le temps de manger. Après plusieurs heures de voyage, avec la fatigue, on commence directement à travailler. Mais le Seigneur manifeste sa force à travers notre faiblesse. À la retraite de Lourdes, en France, il y avait des prêtres de différents pays européens. C'était très fatiguant de se mettre à confesser après les conférences pour ensuite en donner une autre ou célébrer une Eucharistie. Après une conférence, quelques prêtres vinrent se confesser. Le premier était un prêtre hollandais qui ne parlait pas bien le français. Après sa confession, il me demanda :

— « Père, pouvez-vous prier pour ma guérison, je suis muet de l'oreille gauche. » C'était si original que je fus sur le point d'éclater de rire à cause de son « oreille muette » et je dis :

— « Seigneur, si tu guéris celui-ci, ce sera la guérison la plus grande du monde entier. »

Moi, je n'attendais qu'une seule chose, c'est qu'il sorte pour que je puisse rire tout mon saoul mais aussitôt après, entra un autre prêtre qui me trouva en train de rire... Je n'oubliais pas cette expression « muet de l'oreille gauche» et je souriais tout le temps que durèrent les confessions. Alors les prêtres dirent de moi :

— « Comme il est heureux le Père Émilien, bien qu'il ait tant de travail, il est toujours content. »

D'autres disaient :

— « Comme c'est agréable de se confesser avec un prêtre qui a toujours le sourire pour te recevoir. »

Le Seigneur se servit de ce « muet de l'oreille gauche» pour me montrer qu'il est un Dieu de joie, qui est content de nous recevoir quand nous approchons de Lui. Notre Dieu a beaucoup d'humour, cela ne fait aucun doute.

Un jour, que je prêchais devant une multitude dans un stade, une personne me demanda :

— « Mon Père, n'avez-vous ni peur, ni timidité de parler devant tant de gens ? » Moi, je lui répondis avec un sourire :

— « Quand on est sûr de transmettre une bonne nouvelle, on peut monter sur les toits, témoigner dans les prisons et prêcher dans les stades. Moi, je ne fais que témoigner simplement de ce que j'ai vu et sinon, je vous assure que cela m'ennuierait de parler, ne serait-ce qu'avec vous. »

L'ennuyeux c'est que, quand quelqu'un n'a pas l'expérience du Christ Vivant, il doive parler de mille choses, sauf de Jésus.

De nos jours, nous n'avons pas besoin d'un nouvel évangile mais d'une nouvelle évangélisation : proclamer avec puissance et efficacité que le Christ vit ; non pas en répétant des théories que nous avons entendues ou lues, mais en donnant notre propre témoignage. Aujourd'hui, nous devons évangéliser avec la puissance de l'Esprit, accompagnant notre prédication des signes et des prodigues qui doivent être présentés avec l'Évangile. Au congrès de Montréal de juin 1977, il y avait plus de 55 000 personnes qui remplissaient le Stade Olympique lors de la Messe de Clôture. Il y avait le Cardinal Roy, 6 évêques et 920 prêtres. Il y avait aussi le maire de la ville et auprès de l'autel plus de 100 malades sur leurs fauteuils roulants.

Nous priâmes pour les malades. Tout le stade louait Dieu, quand soudain, une femme, Rose Aimée, qui souffrait depuis onze ans d'une sclérose, se leva de son fauteuil et commença à marcher sous les yeux de tous. De l'autre côté, un homme se mit debout, puis un autre plus loin, puis un autre encore... 12 paralysés se levèrent de leur fauteuil et commencèrent à marcher. Les gens applaudissaient et pleuraient, remplis d'émotion. Le maire de la ville en personne sanglotait comme un enfant. Quand Dieu se manifeste, il n'y a pas d'homme qui soit grand : tous sont petits. Il pleurait de bonheur et d'émotion. Le lendemain, le principal journal de la ville disait : « Stupéfaction au Stade Olympique : les boiteux marchent. » Le journal de Montréal disait : « ceux qui étaient prostrés sur leurs lits se lèvent et marchent ». Ce qui est surprenant ce n'est pas que les malades aient été guéris. Ce qui eut été étonnant c'est qu'ils n'aient pas été guéris. Ce qui serait bizarre, c'est que Jésus ne tienne pas ses promesses. Je me souviens que, le lendemain, on m'interviewa à la télévision en me demandant :

— « Ne croyez-vous pas que toutes ces guérisons sont dues à l'effet de masses, à l'émotion, aux applaudissements des gens ? »

Moi, je répondis :

— « Eh bien alors, vous devriez m'expliquer pourquoi dans aucune partie de football ou de baseball, aucun paralysé ne s'est jamais levé, ni aucun cancéreux n'a guéri quand son équipe favorite gagne. »

La seule réponse, c'est que Jésus est ressuscité et qu'il est Vivant aujourd'hui au milieu de nous. Ne cherchons pas d'autre explication car toujours nous nous égarerons.

Un jour, j'étais en train de manger quand quelqu'un me posa une question indiscrète :

— « Mon Père, êtes-vous sûr que vous ayez le don de guérison ? »

Moi, je ne pouvais répondre sur-le-champ, et tout le monde me regarda dans l'attente de ma réponse.

Alors je dis :

— « Eh bien, je suis sûr que j'ai la mission d'évangéliser... et que les signes et les guérisons accompagnent toujours la prédication de l'Évangile. Moi, je ne fais que prêcher et prier tandis que Dieu, lui, guérit les malades. C'est ainsi que nous avons formé une bonne équipe de travail et que nous nous entendons bien. » Les plans du Seigneur me font rire parfois car il a beaucoup d'humour quand il place un simple prêtre devant des théologiens de divers pays pour qu'il prêche la Bonne Nouvelle. Moi, je ne leur enseigne rien. Je ne fais que leur donner le témoignage de la miséricorde du Cœur de Jésus. En 1981, je prêchais une retraite pour 320 prêtres à Lisieux en France, auprès du père Albert de Monléon. Il y avait là beaucoup de prêtres très intelligents, d'autres très critiques et les sceptiques même ne manquaient pas. Après un merveilleux exposé du père de Monléon, c'était à mon tour de parler. Je me sentais tout petit devant ces hommes si savants qui avaient tant de titres. Je me sentais pauvre devant le Cardinal Suenens et les autres évêques. Alors je priai le Seigneur et lui dis :

— « Seigneur, que fait ici un prêtre qui est venu d'une île si petite, devant ces hommes si savants et qui ne savent pourtant pas où est situé son pays ? Ne me laisse pas seul, Seigneur, je t'en supplie. »

Heureusement, la première nuit, le Seigneur guérit un prêtre qui souffrait d'une phlébite et grâce à cela toutes les discussions prirent fin. Je me souviens comment il levait son pantalon et montrait ses deux jambes complètement guéries dans la salle à manger. Ce témoignage servit plus à manifester la Gloire de Dieu que mes pauvres conférences. Le Cardinal Renard surpris par les guérisons merveilleuses du Seigneur se mit debout et dit : « Il est difficile pour nous d'accepter la mystérieuse action de l'Esprit-Saint parce que nous sommes si rationnels et si rationalistes, tous plus ou moins fils de Descartes et même chacun d'entre nous a en lui un petit Voltaire. C'est pourquoi il nous est si difficile d'assimiler l'action de l'Esprit qui souffle comme il veut, sans se limiter aux moules logiques de notre raison. Nous lui mettons des rails à suivre et lui il vole en dehors d'eux. Nous lui offrons un conduit par où il puisse souffler et lui, c'est à côté qu'il le fait. L'Esprit-Saint ne suit pas notre programme pastoral. Certainement avons-nous besoin d'une méthode pastorale. Mais, la base de toute pédagogie de Foi consiste précisément dans l'acceptation du fait que ce n'est pas nous qui dirigeons son action mais lui qui dirige la nôtre. Toute méthodologie doit être suffisamment perméable pour que l'Esprit puisse l'utiliser et même plus, la transformer.

Les dons de l'Esprit-Saint sont différents et actuels. Peut-être à cause de notre rationalisme ou de notre manque de Foi, nous pensons que ces dons sont des histoires du passé. Le Monde actuel est à la recherche d'hommes de l'Esprit, de prophètes chrétiens inspirés par l'Esprit. Mais s'il ne les trouve pas il suivra les illuminés ce qui est très très dangereux. L'Église est une Pentecôte permanente. Ces derniers mots du Cardinal me rappellent une anecdote. Un jour, Jésus était avec ses disciples et il leur demanda :

— « Et vous qui dites-vous que je suis ? »

Simon-Pierre se leva et répondit :

— « Tu es la théophanie eschatologique qui nourrit ontologiquement l'intentionnalité de nos relations subconscientes et interpersonnelles. »

Jésus ouvrit des yeux pleins de surprise et demanda :

— « Quoi, quoi ? »

Et Pierre ne put répéter car il avait oublié. Ce n'était pas quelque chose qu'il avait dans le cœur mais seulement dans l'esprit. Le monde est fatigué d'écouter des théories et des florilèges littéraires. Il a faim de paroles vivantes et efficaces qui réalisent quelque chose de ce qu'elles contiennent. « Le monde d'aujourd'hui est fatigué de suivre des maîtres. Il se laisse entraîner seulement par des témoins » disait Paul VI. Des témoins qui ont fait l'expérience de la nouvelle vie apportée par Jésus. L'Évangile de saint Luc raconte que le dimanche soir, deux disciples de Jésus rentraient de Jérusalem à Emmaüs. Ils étaient tristes et abattus car avec la mort de leur maître toutes leurs espérances de restauration s'étaient évanouies. Jésus lui-même se joignit à eux sur le chemin et l'un d'eux, nommé Cléophas, commença à donner un cours de Christologie à Jésus lui-même, qu'il n'était pas capable de reconnaître. Il rappela avec force chacun de ses faits, miracles et propos. Il raconta sa mort cruelle sur la croix, dont avait été témoin tout un peuple, mais quand il arriva à la Résurrection, il ne put parler de sa propre expérience et se contenta de répéter ce que quelques femmes disaient que des anges avaient dit.

Ainsi dans l'Église, certains prédicateurs ne font que répéter ce que les théologiens ont écrit ou ce que leurs maîtres ont enseigné dans leurs cours, mais eux, n'ont pas d'expérience personnelle de la Résurrection du Christ Jésus.

Tant que l'on n'aura pas eu cette rencontre personnelle avec Jésus ressuscité, on répétera des théories et des enseignements que d'autres dirent qu'ils ont faits. Nous sommes appelés à être des témoins de ce que nous prêchons. Mais, pour être un authentique témoin, on a besoin d'avoir fait l'expérience personnelle de ce que l'on proclame, de l'avoir vécu dans sa propre chair. Un jour on m'amena visiter le magnifique complexe hydroélectrique de Itapu au Paraguay. Ce fut impressionnant. Les hommes et même les camions paraissaient être d'insignifiantes fourmis face aux gigantesques rideaux de béton du barrage. On y produit tant d'énergie que celle-ci couvre les besoins de tout le pays ainsi qu'une partie de ceux du Brésil et d'Argentine. À la tombée de la nuit, nous rentrâmes et je remarquai que quelques maisons des travailleurs de la centrale thermoélectrique n'avaient pas de courant électrique et n'étaient que faiblement éclairées par des petites bougies de cire. À quelques mètres des turbines et des génératrices les plus grandes du monde, il n'y avait pas d'électricité mais des bougies.

C'est que la connection nécessaire pour apporter l'énergie à leurs maisons n'avait pas été faite.

Voilà ce qui nous arrive à nous aussi parfois. Notre vie au lieu d'être éclairée par l'électricité l'est par des bougies car nous ne sommes pas connectés sur Jésus qui est la lumière du Monde. Il y a même des gens qui travaillent dans les Services de l'Église, mais la lumière n'est pas dans leurs cœurs.

Nous sommes comme ces touristes qui utilisent leur appareil Polaroïd pour prendre une photo et ensuite, au lieu d'admirer le vrai paysage et d'être captivés par lui, regardent la photographie en papier.

Il y a beaucoup de chrétiens qui ont gardé la photographie statique de Jésus et ne le connaissent pas « face à face » car ils n'ont jamais eu une rencontre personnelle avec lui. Ils ne font que répéter ce qu'ils ont vu et entendu mais ils n'ont pas l'expérience de la vie nouvelle. La vie éternelle consiste précisément dans la connaissance, c'est-à-dire, l'expérience de Dieu et de son envoyé Jésus Christ.

Le véritable évangélisateur est celui qui présente son témoignage personnel, son expérience propre de salut et peut témoigner que Jésus est Vivant, car il a eu une rencontre personnelle avec lui, comme les apôtres qui affirment :

— « Nous ne pouvons nous empêcher de parler de ce que nous avons vu et entendu. » (Actes 4, 20)

Le vrai Évangélisateur n'est pas celui qui parle de Jésus, mais celui qui est capable de présenter Jésus Vivant aux personnes évangélisées pour qu'elles lui disent comme les Samaritains : « Ce n'est plus sur tes dires que nous croyons : nous l'avons nous-mêmes entendu et nous savons que c'est vraiment lui le sauveur du monde. » (Jean 4 :42)

Mais, personne ne pourra transmettre la vie du Christ ressuscité si auparavant il n'a pas lui-même fait l'expérience de Jésus Vivant au jour d'aujourd'hui.

IV

PAROLE DE SCIENCE

On a beaucoup parlé ces derniers temps de la parole de science que certains, par une traduction plus exacte appellent « Parole de connaissance. »

C'est un charisme très beau à travers lequel Dieu révèle et communique ce qui s'est passé, ou est en train de se passer dans l'histoire du salut des personnes. Grâce à cette révélation on peut arriver à la racine d'un problème, on a la cause d'un blocage, on a la connaissance d'une guérison.

Un jour arriva une dame très affligée à cause de sa fille car une étrange maladie l'avait obligée à abandonner ses études. On me raconta que la jeune fille souffrait d'attaques très bizarres. Elle s'évanouissait souvent, comme souffrant d'épilepsie. Elles avaient consulté plusieurs médecins sans aucun résultat. Elles allèrent chez des psychologues sans obtenir d'amélioration. Elles commirent même l'erreur d'aller chez des sorciers. C'est alors qu'elles arrivèrent à la conclusion évidente de la nécessité d'un exorcisme. La maman parlait, mais la jeune fille gardait le silence. Elle ne répondait même pas à mes questions. N'ayant pas d'informations et ne sachant quoi demander pour elle, je priais en langues. Alors me vint une parole qui me martelait l'esprit continuellement :

« avortement. » J'ouvris les yeux et lui demandai si elle avait eu quelque chose à voir avec un avortement. Elle fut surprise et me demanda :

— « Qui vous l'a dit ? » Avec des larmes aux yeux elle me dit qu'elle avait eu des relations avec son fiancé et avait été enceinte. Étant d'une famille très connue, elle eut très peur et décida d'avorter. Mais depuis, elle s'était chargée d'un double péché et à cette seule pensée, elle s'évanouissait. Elle se repentit, se confessa et nous priâmes pour sa guérison intérieure. Le Seigneur lui pardonna et la guérit et elle n'eut plus d'évanouissements. Le Seigneur nous avait donné « la connaissance » de la racine du problème. Elle n'était ni possédée, ni souffrante d'une maladie quelconque. Par ce don de « la connaissance » ou « parole de science » Dieu révèle les guérisons qu'il est en train de réaliser au milieu de la communauté. Alors, ce que le Seigneur est en train de faire est communiqué à toute l'assemblée. En 1975, je fus nommé Délégué de la République Dominicaine pour la IIe Conférence des leaders du Renouveau Charismatique à Rome. Quand je le communiquai à mes supérieurs, il me répondirent :

— « Laisse ta place à un autre car c'est mieux que le pays soit représenté par quelqu'un qui en est originaire. »

J'eus beaucoup de peine à accepter car je pensais que je ne saisissais pas une occasion merveilleuse de connaître mieux le Renouveau, bien que par la Foi, je découvris la volonté de Dieu à travers la décision de mes supérieurs.

Le jour où j'aurais dû me rendre à Rome en avion, j'allais à cheval visiter une communauté perdue dans la montagne. Je célébrais la messe et priais pour les malades. Tandis que je priais en langues me vint à l'esprit un mot très fort : épilepsie. Je continuais à prier puis je gardais le silence et enfin, je pris le risque de la Foi en demandant :

— « Y a-t-il ici quelqu'un qui souffre d'épilepsie ? Le Seigneur est en train de te guérir maintenant. »

Il y eut quelques moments d'un silence très intense qui me parurent une éternité, puis la directrice de l'école leva la main et dit:

— «Mon Père, c'est ma fille, regardez-la.» À côté d'elle était une jeune fille qui suait et tremblait. Elle était malade depuis sa naissance. Mais le Seigneur la guérit complètement et elle n'a plus eu d'attaques. C'était la première fois que le Seigneur me donnait une parole de science. Le jour où j'obéis à mes supérieurs, le Seigneur me fit un Don qui m'a beaucoup plus servi dans mon ministère que toutes les conférences que j'aurais pu écouter à Rome.

La parole de science est un charisme de l'Esprit qui surprend beaucoup ceux qui vivent cette expérience. C'est la communication d'une impulsion dont on est sûr intérieurement, d'une certitude qui ne s'acquiert ni par la réflexion, ni par la déduction. C'est comme une idée qui envahit notre esprit avec intensité. Celle-ci nous accapare comme un mot sans son, une parole qui vient de l'intérieur de notre être et reste présente dans notre esprit pendant longtemps. Et il en résulte qu'avec cette pensée dans notre esprit, nous sommes sûrs de quelque chose dont nous savons que cela ne vient pas de nous mais bien à travers nous.

Ce qui est certain c'est que cela existe. Je crois que Nathan a eu une parole de science quand il découvrit le secret du cœur de David. (2 Sam 12, 1-15) Pierre a eu aussi une parole de science dans le cas d'Ananie et de Saphire. (Actes 5, 1-11) La parole de science semble du même ordre que la prophétie. Un jour, je prêchais une retraite à Samana, en République Dominicaine. Au milieu de l'exposé, me vint une parole de science que je retournais avec insistance dans mon esprit.

Pour me concentrer sur ma conférence, je m'arrêtai et je dis:

— «Il y a ici un homme qui est venu à la retraite en défiant sa femme. Elle l'invita en lui garantissant que s'il venait, il changerait de vie. Mais lui il répondit qu'il viendrait mais ne changerait pas de vie. Cet homme est ici et le Seigneur lui dit qu'il respecte sa liberté, mais qu'il se souvienne de ce que dit saint Augustin : « Je crains Dieu qui passe et ne revient pas. »

Dans la partie postérieure de la chapelle, un homme grand et fort tomba à genoux et commença à pleurer. Après la messe, il s'approcha du prêtre et lui confirma tous les détails de la parole de science. Il se confessa, donna sa vie à Dieu et ajouta : « Mon père si vous avez besoin de moi pour quelque chose, je suis disponible. »

Il s'agit donc d'une idée claire que l'on a à l'esprit. Au fur et à mesure que nous la communiquons, des détails apparaissent. Cette expérience est semblable à celle de la lecture d'un message écrit sur des serviettes d'une boîte de Kleenex : sur la première serviette se trouvent des mots que je dois lire, ensuite je retire cette serviette et je lis ce que dit la seconde. On ne peut lire ni comprendre ce qui est écrit sur la troisième si on n'a pas lu les 2 autres. De même on communique le premier message et aussitôt après on complète celui-ci au fur et à mesure de sa transmission. Comment reconnaître l'authenticité d'une parole de science ? Uniquement par les résultats. Les témoignages sont le thermomètre qui détermine si la parole vient du Seigneur ou non.

Certains ministères ne produiront du fruit que s'ils sont accompagnés par des témoignages : ainsi, par exemple, si on annonce des guérisons par une parole de science mais que celles-ci ne sont pas confirmées par des témoignages, cela paraîtrait douteux et causerait des critiques à la place des louanges de Dieu.

En novembre 1982, je prêchais une série de retraites en Polynésie française. On prépara une messe pour les malades dans l'archevêché de Tahiti. Cette nuit, il y avait plus de 5000 personnes sur l'esplanade, sous un ciel plein d'étoiles qui me rappelait la Promesse de Dieu à Abraham. Après la communion, je fis une prière pour les malades. Toute cette foule priait en langues. C'était un moment plein de ferveur et de foi. Tandis que l'Esprit chantait en nous, des paroles de science commencèrent à venir. Ces messages sont facilités par la prière en langues car le canal de notre esprit est vide et donc plus disponible pour recevoir la Parole du Seigneur. Parmi ces paroles, il y en eut une qui me surprit par sa précision. Je la transmis telle qu'elle m'est arrivée à l'esprit : « Il y a ici une personne qui vient à la messe pour la première fois et de très loin. Elle souffre de la colonne vertébrale. Sa douleur a été causée par la chute d'une noix de coco. En ce moment une grande chaleur t'envahit dans le dos. Le Seigneur est en train de te guérir. Tu donneras bientôt le témoignage de ta complète guérison. »

Le jour suivant nous avions une autre célébration eucharistique. L'assemblée avait encore augmenté. Nous y avons vécu une expérience inoubliable de la puissance et de la miséricorde de Dieu. Avant de terminer nous avons profité de l'occcasion pour demander des témoignages de personnes guéries la veille. Nous avons entendu des témoignages merveilleux. Entre autres, il y avait celui d'une dame qui nous a dit : « Moi, je suis protestante depuis ma naissance. Je n'avais jamais assité à une messe catholique jusqu'à hier. Comme je souffrais beaucoup de la colonne vertébrale, et apprenant que le Seigneur avait guéri plusieurs malades durant l'Eucharistie de la veille, je me suis laissée convaincre par une amie et je suis venue hier soir pour demander à Dieu ma guérison, même si je devais faire un long trajet pour venir ici.

Quand le prêtre a annoncé qu'une personne qui souffrait de la colonne vertébrale était en train de guérir, j'ai senti une chaleur intense me monter dans le dos. Quand il ajouta que c'était au niveau de la 4e vertèbre, je compris que c'était moi. Mais ce qui m'étonna le plus, fut que le mal venait du coup d'une noix de coco, reçue sur le dos. « Cela faisait un an et demi que je vendais des noix de coco aux touristes. Tandis que je les gaulais en haut du palmier avec un bâton, l'une d'elles tomba sur mon dos, blessant ma quatrième vertèbre. Comme j'étais enceinte alors, je ne pouvais être opérée. Le médecin préféra attendre que naisse l'enfant avant de m'opérer. Il me dit qu'il ne savait pas bien comment opérer car la vertèbre s'était comme soudée. Moi, je souffrais beaucoup, surtout la nuit, cherchant une position plus commode dans mon lit pour m'endormir. Hier soir, quand je sentis cette chaleur et ce tremblement, je pleurais beaucoup. Je sentis une grande présence du Seigneur en moi. En arrivant chez moi, je me rendis compte que j'étais complètement guérie. Moi, je n'ai plus aucune douleur dans la colonne vertébrale et je veux rendre grâce au Seigneur publiquement.»

Moi aussi, je rendis grâce au Seigneur car les détails étaient tous exacts ce qui m'aida à croire encore plus moi-même à la parole de science en tant que parole qui nous vient de l'Esprit et non comme sensation physique ou connaissance psychologique car les détails sont trop exacts pour être le fruit de l'imagination. Dans ce cas précis, je pus vérifier par la cassette du témoignage enregistré que tous les détails coïncidaient. Quand cette dame donna son témoignage, tous louaient le Seigneur et la Foi, en présence de Jésus Ressuscité, grandi plus encore dans la communauté chrétienne.

C'est la même chose qui arriva à la Samaritaine au puits de Jacob quand Jésus lui révéla à travers une parole de science: « Tu as eu raison de dire que tu n'avais pas de mari car tu en as eu 5 et celui que tu as maintenant n'est pas ton mari.» Après sa conversation avec Jésus, la Samaritaine sortit de la ville en courant et dit aux gens « venez voir un homme qui m'a dit tout ce que j'avais fait, ne serait-ce pas le Messie?» (Jean 4, 29)

Ainsi, de même qu'à travers une parole de science se convertit tout le peuple de Samarie, ainsi les communautés s'édifient-elles et la foi et la louange grandissent.

Un jour le Cardinal Suenens me demanda de faire un article pour expliquer comment cette parole de science nous vient à l'esprit. Je lui répondis: « Éminence, je ne sais pas bien comment expliquer ce charisme. C'est aussi difficile que si vous me demandiez de faire un article sur la manière dont une distraction nous vient à l'esprit.»

Lors de l'été 1982, on me demanda de faire 9 émissions de télévision sur le Renouveau Charismatique pour la

CHOT à Ottawa. De ces émissions d'une demi-heure chacune furent enregistrées sur vidéo-cassettes pour être transmises à la fin de l'automne suivant.

Pendant la prière pour les malades dans la dernière émission, j'eus certaines paroles de science annonçant les guérisons que le Seigneur était en train de faire. Je dis :

— « En ce moment, il y a un homme qui est seul dans un hôpital. Il est malade du dos mais le Seigneur est en train de le guérir. Il sent une chaleur qui envahit son dos, il peut se lever et marcher. »

En rentrant chez moi, je me rappelais que l'émission ne passait pas en direct mais qu'elle serait transmise plusieurs mois après. J'étais un peu perplexe et je pensais même : « peut-être que cet homme n'est pas encore rentré à l'hôpital mais déjà j'ai annoncé sa guérison au Nom du Seigneur. »

Je ris beaucoup de l'humour de notre Dieu. À la fin du mois de janvier, je reçus une lettre de B.G. qui avait eu un délicat problème moral, la lettre disait :

« 16 janvier 1983

À cause d'une maladie, j'ai cessé de travailler : j'avais deux vertèbres déplacées. Les exercices et la thérapie ne servirent à rien. En décembre, je fus soumis à une intervention chirurgicale qui dura 4 heures et j'obtins le mouvement de ma jambe droite. Le jour de mon opération, le 9 décembre, mon cœur fut déchiré par une épreuve terrible pour moi et ma famille. Le 18 décembre, j'étais à l'hôpital, faible physiquement et moralement. Ma foi paraissait morte. À 18h 35, j'allumais la télévision, l'émission "Amour sans frontières", s'achevait et vous disiez "un homme seul dans sa chambre d'hôpital souffre du dos et en ce moment Jésus commence à le guérir. Il sent que Jésus est dans son corps et plus tard, il témoignera de sa guérison. C'est ainsi que s'achèvera l'émission..." Il ne me restait plus assez de temps pour le chant final. Moi, j'étais tout en pleurs, profondément impressionné, comment, me disais-je, Jésus pouvait-il s'unir à un cœur si blessé, si frustré et si fermé ? Mais n'est-ce pas pour ces cœurs qu'il est mort ?

« Aujourd'hui, un mois plus tard, je vous raconte cela. Ma guérison progresse merveilleusement. Pour la première fois de ma vie, je connais la paix du pardon sans conditions. » Comme à Tahiti, tous les détails étaient vérifiés. La seule chose, un peu spéciale, était que le Seigneur m'avait annoncé en juin une guérison qui allait se faire le 19 décembre suivant et moi j'avais dit « en ce moment... » À travers ce témoignage, j'ai appris quelque chose de beaucoup plus important. Le Seigneur n'est pas limité par le temps : Lui, il pouvait donner une parole qui annonçait ce qui arriverait après, en disant « en ce moment ». De cela, je conclus que Dieu n'a ni montre, ni calendrier. Il est l'éternel présent.

V

LA GUÉRISON

Il existe trois types de maladies et chacune d'elles requiert une prière spéciale pour sa guérison.

1) La maladie *corporelle* causée par de multiples causes requiert une simple prière de guérison physique.
2) La maladie du *cœur* causée par une blessure émotionnelle demande une prière de guérison intérieure.
3) La maladie de *l'esprit* due au péché, Jésus la guérit grâce à la Foi et à la conversion.

Nous voulons seulement souligner 2 points essentiels :

1) L'unité de l'être humain: Bien que composé d'un corps, d'une âme et d'un esprit (I Thes. 5, 23), l'être humain est un et indivisible. Nous ne l'avons divisé que pour des raisons pédagogiques.
2) L'interdépendance :

Le corps, l'âme et l'esprit sont reliés à des niveaux qu'on ne peut préciser. Mais ils dépendent toujours les uns des autres.

A. Maladie du corps et guérison physique

D'abord nous ne voulions pas approfondir ce thème puisque tout le livre est un témoignage vivant de l'action

« guérissante » du Seigneur. En outre, on a déjà écrit de nombreux et de bons livres et articles sur ce thème si passionnant du Renouveau Charismatique. Nous voulons seulement témoigner que l'Évangile est vrai au XXe siècle en ajoutant certaines considérations qui nous paraissent pertinentes.

Toute l'activité salvatrice de Dieu s'est manifestée sous deux formes. Par les faits et par les paroles. St Luc synthétise merveilleusement l'action de Jésus quand il dit :

— « Dans le premier livre, ô Théophile, je t'ai écrit tout ce que Jésus a fait et enseigné » (Actes 1,1).

Le Concile de Vatican II nous montre les deux faces de la même pièce de monnaie quand il affirme « la révélation se fait par des actes et des paroles intrinsèquement liés entre eux. De même que les actes manifestent et confirment la doctrine, ainsi les paroles à leur tour proclament les actes et les expliquent. » (Dei Verbum, N° 2). À la fin il conclut comment le Christ Jésus (Événement et Parole de Dieu) est la plénitude de la révélation. Il y en a qui affirment que l'important est la guérison spirituelle et physique. D'autres pensent que les guérisons sont accidentelles ; que le charisme de guérison n'est pas essentiel, que par-dessus tout doit être la Charité. Je crois que cette distinction « essentiel-accidentel » n'apparaît pas dans le Nouveau Testament. Plutôt que de faire des divisions, nous devons nous demander : Dieu veut-il guérir ses enfants ? Quant au fait que la Charité soit le Charisme par excellence, je suis complètement d'accord, mais qui peut nier que la guérison soit un véhicule merveilleux par lequel se révèle la Charité envers ceux qui souffrent ? La Charité n'est pas éthérée ni abstraite mais concrète comme une personne guérie. Le don de guérison est fondamentalement un don de charité. Dans les évangiles, apparaît 40 fois le verbe « guérir » et de plus, en une douzaine d'occasions le verbe que l'on traduit généralement par « sauver » signifie aussi « guérir ». C'est-à-dire que l'acte de « sauver » inclut l'action de « guérir ».

— « Courage, ma fille ta Foi t'a sauvée, guérie. » Et à partir de ce moment, la femme fut guérie = sauvée (Mt 9,22).

— Et quand ils touchèrent le manteau de Jésus, ils furent sauvés, ils guérirent. (Mt 14,36).

— Ne crains pas, aie seulement la Foi et ta fille sera sauvée = guérie (Luc 8,50).

Voyez à ce sujet : (Mat. 14,36) (Marc 3,4 ; 5, 23-28 ; 6, 56 ; 10,52) (Jean 11,12), (Act 14,9). Le salut apporté par Jésus saisit l'homme tout entier. Jésus n'est pas venu sauver seulement les âmes. L'homme tout entier l'intéresse : corps et âme.

a) *Jésus*

Il serait superflu et épuisant d'offrir des citations bibliques sur le ministère de guérison de Jésus. Tout l'Évangile n'est qu'une interminable chaîne d'actes miséricordieux de Jésus qui guérit les malades. Nous voulons seulement présenter quelques textes qui ont une signification spéciale. En premier lieu, la présentation du ministère de Jésus :

« L'Esprit du Seigneur est sur moi car il m'a oint pour annoncer aux pauvres la Bonne Nouvelle, il m'a envoyé proclamer la libération des captifs, rendre la vue aux aveugles, libérer les opprimés et annoncer un an de grâce du Seigneur. (Luc 4, 18-19) C'est ainsi que nous voyons que la mission de Jésus était de guérir tant physiquement qu'intérieurement et de libérer de tout lien qui rend l'homme esclave, spécialement du péché. (cf Mt 4, 23-25).

Jésus dit ailleurs, que le médecin n'est pas venu chercher les bien-portants mais les malades, non les justes mais les pécheurs. Sa mission ne se discute pas, le problème est que nous reconnaissions la nécessité de son salut. C'est pourquoi il nous fait une recommandation qui est une parole pleine de miséricorde et de confiance :

« Venez à moi vous tous qui êtes épuisés et ployez sous vos fardeaux car moi je vous soulagerai » (Mt 11,28).

Son nom en hébreu Y'shua signifie « Dieu sauve». Il est le Salut intégral de tout l'homme et de tous les hommes.

b) *L'Église*

« Comme le père m'a envoyé, moi aussi je vous envoie.» (Jean 20,21). Les 12 apôtres poursuivent dans le temps et l'espace l'œuvre de salut de Jésus. Ce sont les responsables de la diffusion jusqu'aux confins de la terre, et pour tous les siècles des fruits de l'œuvre rédemptrice du Christ Jésus. Ils sont envoyés pour prêcher et guérir tout à la fois. Ils ne sont pas seulement ceux qui transmettent une parole mais aussi les porteurs du salut de Jésus. L'Église n'est pas seulement celle qui annonce la Bonne Nouvelle qui nous a sauvés mais aussi celle qui porte ce salut (le sacrement de salut) (Textes : Mt 10, 5-8, Luc 9,16). Cette mission ne se réduit pas aux Douze mais touche les 72 disciples « Guérissez les malades que vous trouverez et dites-leur : "le Royaume de Dieu est proche" » (Luc 10,9).

Et, à la fin de l'Évangile de Marc, nous voyons que cette mission s'étend non seulement aux 12, aux 72 mais aussi à « tous ceux qui croient.»

« Allez dans le Monde entier, partout proclamez la Bonne Nouvelle, voici les signes qui accompagneront ceux qui croiront : en mon Nom, ils expulseront les Démons, ils parleront des langues nouvelles, ils prendront des serpents dans leurs mains et même s'ils buvaient du poison celui-ci ne leur ferait aucun mal. Ils imposeront les mains aux malades et ceux-ci seront guéris.» (Marc 16, 15-18)». La dernière phrase de l'Évangile de Marc n'est pas la fin de l'Évangile, elle se prolonge jusqu'à nous. « Ils sortirent prêcher de toutes parts, le Seigneur les aidait et confirmait sa Parole par des signes qui l'accompagnaient (Marc 16,20).» L'une des caractéristiques qui distingue l'authentique apôtre est la présence de signes, de prodiges et de miracles. (2 Cor. 12,12 et Romains 15,19).

c) *Les signes*

Curieusement nous trouvons dans le 4e évangile que Jean ne parle pas de miracles ou de guérisons mais de «signes». Un signe nous mène toujours au signifié. Aussi, comme la fumée nous montre l'existence du feu, ainsi un miracle ou une guérison nous signifie que Dieu est là en train d'agir et de sauver. Ce sont des signes visibles de l'action invisible de Dieu. Les guérisons sont des phares qui nous indiquent:

1) Que Jésus est Vivant aujourd'hui et qu'il a le même pouvoir qu'en Samarie et en Galilée pour guérir les malades.
2) Que Dieu nous aime et veut le salut intégral de l'homme, de son corps et de son âme.
3) Que Jésus est le Messie. Quand les disciples de Jean-Baptiste allèrent demander à Jésus si c'était lui le Messie, lui ne répondit pas mais commença à guérir les malades.

Souvent on n'admet pas les miracles et les guérisons car ils impliquent aussi l'acceptation de Jésus et de ses exigences. Comme accepter les signes implique d'en reconnaître le signifié. C'est pour cela qu'on les nie. Après une retraite, je revins chez moi et racontai les merveilles du Seigneur. Il y avait un prêtre français qui m'écoutait attentivement, mais incrédule. Je lui racontai comment, pendant la Messe de guérison, le Seigneur rendit la parole à l'épouse de l'animateur du groupe de prière. Elle venait de donner publiquement son témoignage devant la foule, alors que depuis 4 ans et demi, elle ne pouvait plus prononcer une seule parole. Mais le prêtre me dit, très sûr de lui:

— «Le miracle n'est pas là où tu crois.»

— «Comment, demandai-je, que dis-tu?» et lui de répondre:

— «Le miracle n'est pas dans le fait qu'elle puisse parler mais bien dans celui qu'une femme ait passé 4 ans et demi sans parler...»

Les guérisons ne sont pas des démonstrations de la véracité d'une doctrine. C'est Dieu qui sauve, Jésus ne guérit pas pour prouver qu'il est Dieu, mais parce qu'il est Dieu.

Tout signe sert à manifester quelque chose, telle est la finalité des guérisons que le Seigneur réalise. Elles viennent nous rappeler, en ce temps régi par l'efficacité et le pragmatisme, que notre Dieu est présent au milieu de nous et est capable de faire des merveilles. Elles démontrent le pouvoir de Dieu pour que nous nous abandonnions pleinement à Lui, dans les aspects de notre vie humaine. Que les miracles soient des signes, le témoignage suivant le montre :

Un après-midi, je rendais visite à un policier, le capitaine Munoz. Il agonisait dans son lit. Il ne mangeait plus depuis 50 jours. Il ne buvait que de l'alcool toutes les 3 heures. Nous priâmes pour lui et le Seigneur le libéra de son penchant pour l'alcool d'une manière extraordinaire. Il cessa aussitôt de boire et n'eut pas même besoin de passer par un hôpital pour sa désintoxication. Je me souvins de cette parole de la Sagesse (16,12). Le lendemain, il remplaça la bouteille de Rhum par la bible et la lisait en pleurant, en disant : « Comme le Seigneur est bon. »

Cependant, cela m'attira beaucoup de problèmes car le lendemain il y avait des cris, des disputes en dehors de l'église. Les femmes dont les époux buvaient, faisaient la queue et essayaient de maîtriser leurs maris pour que nous priions pour eux. C'était curieux de voir plus d'ivrognes dans l'église que dans les cantines et les bars. Le Seigneur voulut libérer ce policier de la sorte pour éveiller la Foi en son NOM, mais cela ne se produisait pas ainsi dans tous les cas. Les malades ayant confiance en Jésus devaient aussi y mettre du leur. De même que tous les policiers ne sont pas des ivrognes comme le Capitaine Munoz, de même tous les ivrognes ne reçoivent pas le Salut de la même manière. Mais ce qui est important c'est qu'à travers un cas comme celui-là croisse la foi dans le pouvoir sauveur de Dieu qui peut changer notre vie de la manière qui lui plaît.

d) *Miracles et guérisons*

Toutes les guérisons ne sont pas des miracles du Seigneur. Il y a des guérisons obtenues par la prière qui ne doivent pas être considérées comme des miracles. Nous parlons de miracles quand il s'agit d'une guérison qu'aucune science médicale ne pourrait obtenir et que Dieu réalise. Dans les cas où le Seigneur accélère le processus de guérison, qu'on aurait pu obtenir par une opération, le repos ou autre moyen, nous disons simplement « Guérison. » Ainsi toute guérison reçue dans la prière ne peut-elle pas être appelée « miraculeuse. » À Lourdes, parmi les nombreuses guérisons qui ont été obtenues en un siècle, très peu ont été acceptées comme « miraculeuses » comme l'indique la statistique suivante : « Depuis Catherine Latapie, guérie en mars 1858 jusqu'à Serge Perrin guéri en 1978, 64 guérisons miraculeuses ont été confirmées par l'Église. Cependant, dans la seule année 1972, 5432 cas de guérison ont été consignés. » La guérison d'Anita Siu de Sheffer fut miraculeuse, là le Seigneur fit ce que la médecine ne pouvait pas faire. Lors d'un accident d'automobile, dix ans avant, au Chili, une lésion cérébrale lui fit perdre complètement le goût et l'odorat. Étant d'une classe sociale aisée, elle alla dans les meilleurs hôpitaux des États-Unis espérant recouvrer la santé. Après examens et thérapies, les médecins l'informèrent de l'impossibilité d'opérer car les fibres de transmission de ces fonctions étaient plus fines qu'un cheveu. Textuellement ils lui avaient dit que seul un « miracle » pourrait lui faire récupérer ces 2 sens. Elle perdit l'espoir de pouvoir à nouveau goûter les saveurs et sentir les parfums et les fleurs. Lors de la Messe des malades à Panama le Seigneur nous donna plusieurs paroles de science sur ce qu'il était en train de faire dans l'assemblée. L'une d'elle disait :

— « Il y a ici une dame qui souffre d'une maladie très sérieuse. Elle va être guérie au cours de la nuit et demain elle témoignera de sa totale guérison. Le lendemain Anita se rendit compte qu'elle avait récupéré son odorat. Elle s'éveilla avec la douce odeur des roses qui étaient auprès de sa fenêtre et de l'arôme du café dans la cuisine. Elle se leva d'un bond, et raconta la merveille à son époux. Elle déjeuna, les larmes aux yeux et se rendit compte aussitôt qu'elle pouvait savourer les aliments pour la première fois depuis son accident. Ce qu'aucun médecin de ce monde ne pouvait faire, le Seigneur l'avait fait, Jésus maître de l'impossible. Ensuite, pleurant de joie, elle dit à toute l'assemblée: «j'ai 2 enfants mais jamais je n'avais pu sentir leur odeur. Vous les mamans, vous savez ce que c'est que de sentir l'odeur de vos enfants. Eh bien, ce matin, je me suis approchée d'eux, je les ai embrassés et j'ai commencé à sentir doucement leur odeur.»

Un autre très beau témoignage de guérison miraculeuse fut écrit par la personne guérie elle-même le 25 août 1981: «je souffrais d'arthrite rhumatoïde. Ce n'est pas une maladie que l'on peut confondre avec l'arthrite ou les rhumatismes, maladies propres aux personnes d'un certain âge, sans graves conséquences. L'arthrite rhumatoïde a des causes inconnues et on ne sait le guérir. Il attaque les articulations en produisant une grande douleur et l'organisme les rejette. La personne a le corps qui durcit, se déforme et finit sur un fauteuil roulant. Cela commença en octobre dernier par des douleurs dans les chevilles, les genoux, et les poignets avec une fatigue générale. Pensant que ce n'était pas grave, j'allais chez le médecin qui me fit faire des analyses qui permirent de déceler l'arthrite. Le laboratoire me recommandait d'aller aux États-Unis pour chercher un traitement. Dans le centre arthritique où j'étais soignée, je fus très impressionnée par les différentes phases de la maladie. Le docteur Alonso Portuondo, le spécialiste, confirma le diagnostique et me dit que cette maladie était incurable. On ne pouvait que la rendre stationnaire avec des sels d'or. Le remède a des effets négatifs : j'eus des éruptions sur tout le corps, perdis mes cheveux et les ongles des pieds. Mon taux de plaquettes sanguines et de globules blancs devint anormal. Alors, vint au Paraguay le Père E. Tardif. Je l'écoutais pour la 1re fois en l'église de Saint-Alphonse. Au moment de la guérison, je sentis que mon cœur allait exploser, il battait si fort que j'entendais ses palpitations. La seconde fois ce fut en l'église du Colonel Oviedo. De nouveau, au moment de la prière de guérison, je sentis un tremblement dans tout le corps. Le Père dit qu'en ce moment-là, 2 femmes atteintes d'arthrite étaient en train de guérir, il leur dit de s'agenouiller. En vérité, je n'eus pas le courage de le faire car je n'étais pas convaincue qu'il s'agissait de moi et je ne croyais pas à ce type de guérison, peut-être par manque de Foi. J'allai à une troisième messe. Alors, mes douleurs avaient disparu et je ne prenais plus de médicaments. Ma mère le constata ainsi que la Sœur Marguerite Prince le jour du départ du Père Émilien et à nouveau à l'Aéroport, il fit avec le Père Andres Car une prière de guérison sur moi. En terminant, il me dit : "ne dis plus 'j'ai de l'arthrite' mais 'j'en avais' car tu es guérie." Mes douleurs disparaissaient et je ne prenais plus de médicaments (alors que j'étais arrivée à la dose de 12 ascriptins par jour et à des piqûres hebdomadaires de sel d'or). Je fis des analyses et vis que j'étais réellement guérie. Le docteur Nicolas Breuer, très croyant qui s'occupe de moi à Asuacion me dit : "Il faut admettre qu'au-delà de la Science, il y a quelque chose de supérieur et rien ne lui est impossible." Les médecins m'expliquèrent que la personne qui souffre de cette maladie ne perd jamais, même dans l'hypothèse de sa guérison, l'arthritest, marque qui demeure toute sa vie. C'est comme le malade qui a eu un infarctus, il en garde la cicatrice dans son cœur. Alors que moi, je n'ai plus de trace de l'arthritest. La seule explication en est un miracle de Dieu» (Marie Thérèse Galeans de Baez).

Ceux qui pensent que les guérisons sont quelque chose de superficiel dans le ministère de Jésus se trompent complètement. Ceux qui croient que l'on n'a plus besoin de guérisons aujourd'hui, et que l'essentiel est d'annoncer l'évangile, oublient la méthode pastorale de Jésus. Nous, nous planifions et recherchons mille formes pour attirer les gens qui viennent de moins en moins à l'Église. Nous organisons fêtes, concerts, partages etc. et les résultats sont pauvres. Jésus, lui, guérissait les malades et les gens venaient en masse. Si nombreux que parfois on devait faire passer les paralytiques par le toit de la maison de Pierre car il n'y avait pas moyen de passer dans la foule. Aujourd'hui, c'est la même chose qui arrive. Quand Jésus guérit les malades, ce sont des foules qui viennent, des foules qui ne tiennent même pas dans les stades et c'est alors que nous leur annonçons le Royaume de Dieu. Les conséquences sont beaucoup plus grandes que les simples guérisons physiques.

Car les signes du pouvoir de Dieu ne sont pas seulement un spectacle, ils aident efficacement le renouveau de la vie de Foi, c'est ce que dit la lettre de l'archevêque de Tahiti à mon supérieur provincial dont nous transcrivons intégralement la première partie :

Papete 30/11/80

Mon Révérend Père,

Absent du diocèse pendant tout le séjour du Père Tardif du 21 octobre au 14 novembre, j'ai constaté dès mon retour le 26 novembre le changement dû à son passage.

Je ne reviens pas sur la description que vous a déjà faite le P. Hubert, mon frère, je voudrais simplement vous dire

1 - Le nombre des pratiquants le dimanche a considérablement augmenté

2 - Un certain climat œcuménique s'est instauré

3 - La vie spirituelle partout naît ou renaît

4 - Les conversions ont été importantes et les confessions extrêmement nombreuses

5 - Le clergé, les religieuses, les frères... ont grandement apprécié la prédication du P. Tardif

6 - Les mariages en préparation vont permettre la régularisation de quantité d'unions illégitimes et certainement un renouveau de la vie familiale

Jamais le diocèse n'a connu une telle poussée de foi — Nous avons eu 2 Synodes, une Révision Apostolique, des retraites assurées par d'excellents prêtres dans les 15 dernières années... nous avons connu des grandes manifestations religieuses... mais aucun résultat populaire — et profond, comparable à celui-ci.

Michel Coopenrath
Archevêque de Papete

Un seul exemple entre mille de ce qui arriva à Tahiti suffit : pendant la Messe pour les malades, un aveugle commença à pleurer et tandis qu'il séchait ses larmes il commençait à voir. En rencontrant Jésus, lumière du Monde, il recouvra la lumière dans ses yeux. Cela impressionna beaucoup Gabilou, célèbre chanteur du Pacifique, 2e prix d'Eurovision, il s'inscrivit pour la seconde retraite durant laquelle, il se repentit, se confessa et communia. Lors de la messe de clôture il témoigna en disant : « Il y a eu ici beaucoup de guérisons, mais la plus grande c'est moi qui l'ai reçue car le Seigneur m'a guéri spirituellement. Cela faisait 16 ans que j'étais éloigné de la vie chrétienne et des sacrements mais pendant cette retraite Jésus m'a trouvé et je ne veux plus vivre ni chanter que pour Lui. »

Il répéta son témoignage à la télévision et ensuite dans le Stade devant 20 000 personnes. Aujourd'hui, il évangélise avec des chants charismatiques, interpelant les jeunes. Jésus est aussi le Seigneur des chanteurs et des artistes.

Les guérisons ont un objectif très clair dont nous devons tenir compte. L'archevêque de Brazzaville a écrit une lettre à toutes les communautés de son diocèse :

Brazzaville 7 octobre 83

Nous avons été très contents de la prédication du Père Tardif qui a repris le thème du centenaire de l'Évangélisation du Congo : le renouveau de la Foi. Ces prédications furent souvent accompagnées de guérisons spirituelles, morales et physiques. Le spectacle le plus extraordinaire était de voir pendant la prière, les malades guérir, les paralytiques marcher, les muets parler. C'était revivre les temps de l'Église primitive avec Jésus. Mais que personne n'oublie l'objectif de ces signes miraculeux de Jésus : ils sont un témoignage pour réveiller la Foi de ceux qui ne croient pas et pour fortifier la Foi des croyants.

« Heureux vos yeux parce qu'ils voient et heureuses vos oreilles parce qu'elles entendent. » « Je vous assure. que beaucoup de prophètes et de justes désirèrent voir ce que vous voyez mais ne l'ont pas vu et entendre ce que vous entendez mais ne l'ont pas entendu. » Guéris-les, Seigneur. (Matthieu 13, 16-17). Le Père Tardif nous a prêché un évangile de Vérité et non de mensonge. Avoir vu ces signes et ne pas croire, voilà ce que Jésus appelle « pécher contre l'Esprit-Saint » car on se refuse à voir la Vérité... ce qui est très grave.

La prédication puissante que nous avons vécue laissera une trace profonde dont les générations congolaises parleront pendant longtemps, comme on parle encore des œuvres et des paroles du Christ.

Monseigneur Barthélémy Batantu
Archevêque de Brazzaville

Je crois que les textes bibliques et même les témoignages des saints dans la Vie de l'Église sont si nombreux qu'il n'est pas nécessaire de justifier ou d'attaquer les guérisons. Mais la question de fond devrait être : « est-ce que je crois que Dieu peut me guérir ? Ai-je la Foi dans le pouvoir de guérison de Jésus qui peut passer à travers moi pour guérir d'autres personnes ? »

Parfois nous craignons les merveilles de Dieu pour la simple raison que nous ne les comprenons pas.

L'évêque de Sangmelima au Cameroun m'avait invité à une retraite sacerdotale. Il convoqua tous ses prêtres, mais l'un d'eux lui dit :

— « Je ne veux pas y aller car là-bas on ne va parler que de miracles et encore de miracles. »

L'évêque lui répondit :

— Vas-y, n'aie pas peur. Le thème de la retraite n'est pas la guérison mais la prière.

Ce prêtre accepta d'y aller plus, sur la suggestion de l'évêque que par conviction. Ainsi commença la retraite. Mais le 3e jour, il se mit debout devant les autres et dit :

— « Je souffrais d'une arthrite déformante dans les mains qui m'empêchait même d'attacher les lacets de mes chaussures. De plus, il faut que je vous dise que je ne voulais pas venir à cette retraite craignant qu'on n'y parlât que de miracles. Mais pendant la messe d'hier, j'ai senti comme une grande chaleur dans les mains. Je veux rendre gloire à Dieu parce que je suis parfaitement guéri. Je peux bouger mes mains... »

Alors, j'ajoutai en riant :

— « Tu ne voulais pas entendre parler de miracles et maintenant c'est toi qui ne cesses de proclamer les merveilles du Seigneur. »

Tout le monde riait et louait Dieu tandis que lui bougeait les mains et les montrait. Notre attitude doit être celle de l'abandon complet entre les mains du Père d'amour. Il a un plan merveilleux sur nous.

e) *Prière pour les malades*

Le 8 février 1984, nous célébrâmes une Eucharistie pour la Santé physique des malades qui liront ces pages. Qu'ils s'unissent par la FOI à cette prière en déposant leur vie entre les mains de Jésus.

Seigneur Jésus,

nous croyons que tu es Vivant et ressuscité, nous croyons que tu es réellement présent dans le Très Saint Sacrement de l'autel et en chacun de nous.

Nous te louons et nous t'adorons. Nous te rendons grâce, Seigneur, de venir jusqu'à nous, tel un pain vivant descendu du Ciel.

Tu es la plénitude de la vie.
Tu es la résurrection et la vie.
Tu es Seigneur, la Santé des malades.

Aujourd'hui, nous voulons te présenter tous les malades qui lisent ce livre car pour Toi, il n'y a pas de distance, ni dans le Temps, ni dans l'Espace. Tu es l'éternel présent et Tu les connais. Maintenant, Seigneur, nous te demandons d'avoir compassion d'eux. Visite-les à travers ton Évangile, proclamé dans ce livre, pour que tous reconnaissent que Tu es Vivant dans ton Église aujourd'hui et que leur Foi et leur Confiance en Toi soient renouvelées.

Nous te supplions, Jésus aie compassion de ceux qui souffrent dans leur corps ;
de ceux qui souffrent dans leur cœur

et de ceux qui souffrent dans leur âme car ils prient et lisent les témoignages de ce que Tu es en train de faire par ton Esprit rénovateur dans le monde entier.
Aie compassion d'eux, Seigneur.
Maintenant, nous te le demandons.

Bénis-les tous et fais que beaucoup recouvrent la santé.

Que leur Foi grandisse et qu'ils s'ouvrent aux merveilles de ton amour.

Pour qu'eux aussi soient témoins de ton pouvoir et de ta compassion.

Nous te le demandons, Jésus par le pouvoir de tes saintes plaies, par ta sainte croix et par ton précieux sang.
Guéris-les, Seigneur.
Guéris-les dans leur corps.
Guéris-les dans leur cœur.
Guéris-les dans leur âme.
Donne-leur la vie, la vie en abondance.

Nous te le demandons par l'intercession de la Très Sainte Vierge Marie, ta Mère, la Vierge des douleurs,

celle qui était présente, debout, près de la Croix,

celle qui fut la première à contempler tes saintes plaies et que tu nous a donnée pour mère.

Tu nous as révélé que tu as pris sur Toi toutes nos douleurs et par tes saintes plaies nous avons été guéris.

Aujourd'hui, Seigneur, nous te présentons dans la Foi tous les malades qui nous ont demandé une prière et nous te demandons de soulager leur maladie et de leur rendre la Santé.

Nous te demandons pour la Gloire du Père du Ciel, de guérir les malades qui vont lire ce livre. Fais qu'ils grandissent dans la Foi, dans l'espérance et qu'ils reçoivent la Santé pour la Gloire de ton Nom. Pour que ton règne continue à s'étendre de plus en plus dans les cœurs, à travers les signes et les prodiges de ton amour. Nous te demandons tout cela Jésus parce que Tu es Jésus. Tu es le Bon Pasteur et nous sommes toutes les brebis de ton troupeau. Nous sommes si sûrs de ton amour, que même avant de connaître le résultat de notre prière, dans la Foi, nous te disons :

Merci Jésus, pour tout ce que tu vas faire en chacun d'eux. Merci pour les malades que Tu es en train de guérir à présent. Que tu es en train de visiter par ta miséricorde. Merci Jésus pour tout ce que tu vas faire à travers ce livre. Nous le déposons entre tes mains à partir d'aujourd'hui et nous te demandons de le plonger dans tes saintes plaies. Recouvre-le de ton sang divin et qu'à travers ce message, ton cœur de Bon Pasteur parle aux cœurs de tant de malades qui vont le lire.

Gloire et louange à Toi, Seigneur.

B. Maladie du cœur et guérison intérieure

Nous sommes tous conscients des graves répercussions qu'a notre passé sur notre présent. Nous allons maintenant parler des attitudes maladives de notre personnalité et des relations que nous avons avec les autres et qui ont leurs racines dans les douloureuses expériences de notre histoire. Combien de traumatismes ont été causés par les blessures de notre passé ? Des conséquences négatives se produisent sur le plan physiologique (certaines maladies physiques sont causées par des blessures émotionnelles), et psychologiques comme les complexes toujours produits par des blessures, et même par des blessures spirituelles (de nombreuses faiblesses dans notre vie de Foi ont des causes douloureuses de notre histoire). Ces maladies émotionnelles de notre cœur, le Seigneur peut les guérir grâce à la prière de guérison intérieure.

Dans un centre psychiatrique de Montréal, il y avait un aveugle qui était un cas médical étrange. Il avait perdu la vue sans aucune cause apparente. Le nerf optique, la pupille et la cornée étaient en parfaite condition. Il n'y avait aucune cause de cécité. Grâce à un traitement hypnotique, on découvrit que la cause remontait au temps où il était très petit et dormait dans la même chambre que ses parents. Une nuit, ils eurent des relations sexuelles très intenses que le petit interpréta comme une agression de son père contre sa mère. Cela lui causa un traumatisme si profond qu'il ferma les yeux à cette agression et à toute réalité en devenant aveugle. En trouvant la racine du problème on lui fit la thérapie adéquate et après quelques mois il recouvra la vue.

C'est la même chose que fait le Seigneur Jésus dans la prière de guérison intérieure, allant à la racine de nos conflits pour les guérir. L'avantage est que lui ne se fait pas payer et qu'il agit beaucoup plus rapidement que les psychologues et les psychiatres de ce monde. « Lui qui guérit les cœurs brisés et qui bande leurs blessures.» (Ps. 147,3).

Nous avons un Dieu merveilleux qui est capable d'aller au fond de nos problèmes pour nous guérir et nous libérer. Avant, il existait une belle prière dans la liturgie : « Libère-nous, Seigneur, de nos maux, passés, présents et à venir.» Notre Dieu en est capable car Lui n'est pas dans le temps. Plutôt, il est dans tous les temps car Il est le même hier, aujourd'hui et toujours. Pour ce faire, il faut d'abord que soit éclaircie la cause de notre blessure. Non seulement en prendre conscience, mais l'exposer à la lumière de l'amour de Dieu dans un total abandon, en Lui demandant de guérir dans son infinie miséricorde nos blessures. La moitié de la guérison d'un problème émotionnel réside dans la capacité d'écouter le patient avec amour et sans le juger. Il y a des maladies et des blessures physiques qui sont guéries par des bains de soleil. La personne s'expose aux rayons de soleil qui la pénètrent et la guérissent. De même, Jésus, soleil de Justice, guérit-il les blessures du cœur. Si nous exposons tout notre être et surtout les blessures aux rayons de son cœur miséricordieux, sa chaleur nous pénètre et nous guérit: « Pour vous qui craignez mon Nom, le soleil de justice brillera, avec la guérison dans ses rayons. » (Malachie 3,20).

L'incubation des souvenirs douloureux dans notre mémoire produit des traumatismes et des complexes dans nos relations avec les autres et même avec Dieu. C'est pour cela que le ministère de guérison intérieure commence d'abord dans le champ de nos mémoires, car ce que nous avons archivé dans notre mémoire, consciemment ou inconsciemment produit des réactions somatiques, organiques et nerveuses. Dans un climat de prière et de Foi, nous essayons de faire retrouver à la personne l'origine de ses souffrances (rejet familial, abandon, violence, échec, accident, etc.). Alors on prend chacun des incidents douloureux pour l'exposer à la lumière du Seigneur avec l'autorité du Nom de Jésus. Lui qui est le médecin hier, aujourd'hui et toujours, guérit les blessures de la mémoire comme le soleil guérit les blessures de notre corps. Nous demandons au Nom de Jésus, par le pouvoir de ses saintes plaies (ses blessures qui ont guéri les nôtres) que soient guéries nos maladies. « Je te libère au nom de Jésus des craintes, angoisses et complexes etc. causés par ces événements. »

a) *Racine du problème*

Nous ne devons pas confondre la guérison avec la suppression des symptômes. Nous ne pouvons pas nous laisser abuser par les symptômes car ils jaillissent, se transforment tandis que le problème demeure. Il advient, par exemple, que quelques personnes renoncent au tabac par quelque méthode, mais c'est pour, ensuite manger davantage. Un alcoolique peut cesser de boire mais s'il n'est pas guéri à la base, il succombera à d'autres vices. Dans ces cas, le problème n'est pas résolu mais transféré. Il ressemble à un ballon gonflé : si on le presse d'un côté, l'air va de l'autre. En général, c'est une blessure de manque d'amour ou une perversion de l'amour qui est à la base de toutes nos maladies. C'est pour cela qu'on dit : « Guérison du cœur. » Une expérience négative d'amour par manque ou perversion se guérit par des expériences positives véritables d'amour. C'est pourquoi il ne suffit pas de découvrir le problème ou la racine des conflits mais il est plus important de remplir ce vide avec l'amour miséricordieux du cœur de Jésus.

L'essentiel est de faire nôtres les mérites de la Mort du Christ pour jouir des fruits de sa Résurrection, dans la certitude de Foi qu'il y a 2000 ans, lui s'est chargé de la Croix qui nous donne la paix. Dans la guérison, il ne s'agit pas de supprimer les symptômes (douleur) mais d'aller à la racine des problèmes. Ils ne sont que des épiphénomènes, nous devons nous efforcer de trouver cette cause. La guérison de Jésus agit à fond. Elle défait le nœud principal qui est l'origine de toutes les complications. Cette racine peut être découverte de 2 manières : soit en dialoguant avec la personne, en essayant de découvrir quand et comment le problème est né, soit par le discernement charismatique. Il y avait une personne qui souffrait de crises d'asthme si violentes qu'elle étouffait presque. En parlant avec Monseigneur Alfonso Uribe Jaramillo et en cherchant comment et quand avait commencé sa maladie, elle se rendit compte qu'avant la naissance de son second fils, il y avait une de ses voisines de mauvaise foi qui prétendait que ce n'était pas le fils de son époux. Cela la blessa tant que son asthme commença. Ce n'était pas une maladie mais le symptôme d'une blessure émotionnelle qui disparut une fois qu'elle l'eut découverte et demandé sa guérison.

Pour le discernement charismatique, en certaines occasions, le Seigneur donne une lumière spéciale pour aller jusqu'à la racine du problème. Le Seigneur vient à l'aide de notre impuissance pour que, découvrant la cause de la maladie (ce qui est humainement impossible, ou demanderait trop de temps et trop de méthodes psychologiques), celle-ci puisse être guérie. Le discernement n'est pas le fruit d'une technique psychologique mais une grâce spéciale du Seigneur dans un cas particulier. Une enfant de 13 ans se réveilla un dimanche à minuit, très effrayée, avec des cris et des sursauts car un homme s'était introduit dans sa chambre. Le lendemain matin, elle était aveugle. Comme la famille était pauvre, on chercha des remèdes « de bonne femme » pour faire ensuite appel au médecin, sans résultats. Alors, on l'amena à l'église. Comme je n'entends rien à la médecine, je commençai par prier. Je le fis sans résultats. Je priais en langues et alors je compris très clairement que cette enfant n'était pas aveugle mais qu'elle avait une blessure émotionnelle à cause de l'impression qu'elle avait reçue *en voyant* un homme entrer dans sa chambre. Nous demandâmes au Seigneur de la guérir de ses blessures émotionnelles et dix minutes après, elle commença à voir ; elle avait complètement récupéré la vue. Sa blessure émotionnelle était la racine du mal physique. Une fois la cause soignée, la conséquence le fut aussi. La prière doit être centrée sur la rupture des liens du passé qui se répercutent sur le présent. Ensuite, on demanda au Seigneur de remplir d'amour, de compréhension, de paix ce moment ou ces circonstances douloureuses. Dans une retraite à Caracas, au Venezuela, une religieuse nous raconta que malgré la satisfaction que lui donnaient sa vocation et son apostolat missionnaire, elle était toujours plongée dans une tristesse dont elle ignorait la cause.

Nous priâmes pour sa guérison intérieure et pendant la prière en langues une sœur eut l'image dans son esprit d'une enfant de 5 ans qui pleurait, perdue dans un bois, entourée de sapins et de neige. On demanda à la religieuse si cette image lui disait quelque chose et elle répondit avec les larmes aux yeux :

— « Quand j'étais petite, un hiver, je sortis de chez moi, je perdis les traces du chemin dans la neige et ne pus rentrer. Mes parents ne savaient pas où me chercher. Je restai plusieurs heures seule et perdue, souffrant beaucoup, pensant que je ne pourrais plus jamais voir mes parents. »

Alors nous priâmes Jésus, le Bon Pasteur, de guérir cette blessure émotionnelle car c'est lui qui la portait sur lui et jamais il n'avait abandonné son enfant, ni n'avait permis qu'elle ne s'égare. Elle fut guérie et la joie revint dans sa vie et son travail. Pour notre Dieu tout est présent, il nous guérit de nos maux même s'ils sont ensevelis dans le passé. La guérison des souvenirs réside dans le fait que Jésus est le même hier, aujourd'hui et toujours (Hébreux 13,8) et que les mérites rédempteurs de sa mort et de sa résurrection sont toujours présents et efficaces. Dans le ministère de guérison, nous bénéficions des mérites de la mort du Christ pour vivre les fruits de sa rédemption à un moment déterminé de notre vie. Le point de départ est la certitude que Jésus, il y a 2000 ans s'est chargé de nos douleurs et maladies. Par la foi, nous faisons nôtre la Victoire du Christ. Par la guérison intérieure naît une espérance pour ceux qui s'étaient résignés à vivre avec des habitudes et des traumatismes. Une porte est ouverte pour la guérison de ceux qui ne pouvaient changer malgré tous les efforts humains qu'ils déployaient et se brisent les amarres qui nous rendaient esclaves du passé. Jésus est venu apporter la Vie et la Vie en abondance. Il nous veut libres et nous rend capables d'être libres de tout lien qui nous enchaîne à un triste passé ou à une expérience négative. Il y a des gens qui s'approchent du sacrement de la réconciliation pour confesser toujours les mêmes fautes et les mêmes péchés. De la sorte, il semble que ce sacrement ne nous accorde que le pardon de Dieu et non la force d'être victorieux dans la lutte contre le péché. La guérison intérieure est venue nous libérer de ces dépendances qui nous rendent esclaves et ne nous laissent pas voler à la hauteur de l'union avec Dieu et de la Sanctification. Cela signifie-t-il alors que la guérison intérieure soit plus efficace que le sacrement ? En aucune manière car c'est dans le Sacrement de la Réconciliation que la guérison intérieure peut être plus profonde. Si les prêtres étaient conscients du pouvoir de guérison du sacrement de la Réconciliation, ils ne cesseraient de l'utiliser. Le prêtre qui réduit le sacrement à l'absolution et ne prie pas pour la guérison intérieure, réduit lamentablement le pouvoir du sacrement.

Prière pour la guérison des souvenirs

Comme tout le monde, nous sommes malades des blessures de notre passé alors, voici une prière de guérison intérieure pour que le Seigneur guérisse le cœur de ceux qui reconnaîtront qu'ils en ont besoin.

Père de bonté, Père d'amour,
Je te bénis, te loue et te rends grâce,
parce que par amour tu nous a donné Jésus.

Merci Père, à la lumière de ton Esprit, nous comprenons que c'est Lui la lumière, la Vérité et le Bon Pasteur qui est venu pour que nous ayons la Vie en abondance.

Aujourd'hui, Père, je veux te présenter ce(tte) fils (fille).

Tu le (la) connais par son nom.

Je te le (la) présente, Seigneur, pour que tu jettes un regard de Père, sur sa vie.

Toi, tu connais son cœur et les blessures de son histoire.

Toi, tu sais tout ce qu'il (elle) a voulu faire et n'a pas fait.

Tu sais ce qu'il (elle) a fait et le mal qu'on lui a fait.

Tu connais ses limites, ses erreurs et son péché.

Tu connais les traumatismes et les complexes de sa vie.

Aujourd'hui, Père, nous te demandons par l'Amour de ton fils Jésus Christ, de répandre ton Esprit-Saint sur ce frère, cette sœur pour que la chaleur de ton amour qui guérit pénètre au plus intime de son cœur.

Toi qui guéris les cœurs déchirés et bandes les blessures.

Guéris ce frère (cette sœur) Père,

Entre dans ce cœur, Seigneur, comme tu es entré dans la maison où étaient tes disciples apeurés. Toi, tu parus au milieu d'eux et leur dis « La paix soit avec vous. »

Entre dans ce cœur et donne-lui ta paix. Remplis-le d'amour.

Nous savons que l'amour expulse la peur. Passe dans sa vie et guéris son cœur.

Nous savons, Seigneur, que tu le fais chaque fois que nous te le demandons et nous te le demandons avec Marie, notre Mère, elle qui était aux Noces de Cana, quand il n'y avait plus de vin, et Tu répondis à son désir, transformant l'eau en vin. Change son cœur, donne-lui un cœur généreux, affable, plein de bonté, donne-lui un cœur nouveau. Fais jaillir, Seigneur, dans ce frère (cette sœur), les fruits de ta présence. Donne-lui les fruits de ton Esprit qui sont : amour, paix et joie. Fais que descende sur lui l'Esprit des Béatitudes, pour qu'il puisse savourer et chercher Dieu chaque jour, vivant sans complexes ni traumatismes auprès de son époux (se), de sa famille et de ses frères.

Je te rends grâce, Père, pour ce que tu fais aujourd'hui dans sa vie.

Nous te rendons grâce de tout cœur car c'est Toi qui nous guéris.

Toi qui nous libères.

Toi qui brises nos chaînes et nous rends la liberté.

Merci, Seigneur, car nous sommes des temples de ton Esprit, et ce temple ne peut être détruit car c'est la Maison de Dieu.

Nous te rendons grâce, Seigneur, pour la Foi, pour l'amour que tu as mis en nos cœurs.
Comme tu es grand Seigneur,
Sois béni et loué, Seigneur.

b) *La prière*

Je crois que ce qui nous aide le plus à prier pour la guérison intérieure des autres c'est d'avoir nous-mêmes auparavant eu cette expérience. C'est la compassion que nous devons demander d'abord. C'est une caractéristique essentielle du cœur miséricordieux du Christ Jésus. Lui, il avait compassion des gens, c'est pour cela qu'il les guérissait et les nourrissait. Sans compassion (souffrir avec) notre prière n'est que vocale et extérieure, elle ne vient pas du cœur. Pour la prière de guérison intérieure, il n'y a pas de modèle à suivre toujours. Mais, on doit suivre Jésus qui enseigna et guérit sous l'impulsion de l'Esprit. Je ne connais pas de méthode, Jésus n'en avait pas.

Nous ne voulons présenter qu'une expérience, comment Dieu nous a enseigné à prier pour les malades. Voici quelques pistes qui peuvent servir à d'autres, sans oublier que Dieu peut leur en montrer d'autres.

1) *Au nom de Jésus*

Jésus Christ est l'unique médiateur entre Dieu et les hommes c'est pourquoi il n'y a pas d'autre nom qui soit donné aux hommes pour leur salut. (I Timothée 2,5 Actes 4,12).

Seul Jésus guérit, libère et sauve. Tout ce que nous demandons en son Nom, le Père nous l'accorde (Jean 16,23). La prière du Nom de Jésus ne se limite pas à la prononciation de ce Nom mais fait appel avant tout à la confiance, dans son écoute tandis qu'il prie en nous et nous en lui. Certains, pendant la prière de guérison et plus spécialement celle de libération, répètent et chantent le

Saint Nom de Jésus plusieurs fois. C'est vrai que ce Nom renferme Santé et pouvoir puisqu'il signifie « Dieu sauve » et nous savons bien que la parole de Dieu réalise ce qu'elle contient.

C'est au nom de Jésus que les malades sont guéris (Matthieu 7,22 ; Actes 4,30).

2) *Par le sang de l'agneau*

On implore la valeur du précieux sang de Jésus, agneau de Dieu qui enlève le péché du monde, pour qu'il nous délivre du pouvoir des ténèbres. Nous invoquons le sang du Christ Jésus, car, parfois, après une blessure émotionnelle, une oppression, une obsession et même une maladie physique, on renferme en soi un élément de péché :

Alors nous prions ;

« Par le sang précieux du Christ Jésus, je te déclare libre de toute attache et de tout mal, qui t'empêchent de vivre dans la plénitude la vie du Christ Jésus. »

La lettre aux Éphésiens (1,7) affirme, que par le sang du Christ nous avons été rachetés.

Voici un témoignage de cela qui nous vient du Guatemala, c'est une lettre « Dans l'assemblée de prière pour les malades, j'étais assise plus bas que vous, sans pouvoir vous voir. Je vous entendais seulement. Au fur et à mesure que vous parliez, j'entrais dans ce monde merveilleux de Dieu sans m'en rendre compte. Soudain, je commençais à m'apercevoir que quelque chose de spécial se produisait. Je me sentais comme flotter dans l'air, je commençais à baigner dans la sueur et je sentais le besoin de glorifier Dieu à voix haute. Mes larmes étaient abondantes. Ensuite, vint la prière pour les malades. Vous nous avez fait méditer sur la Croix du Seigneur. Je l'imaginais très clairement. Alors, je me sentis plongée dans ce précieux sang. Alors j'avais des pleurs de tristesse à cause de mes péchés. Il me dit alors : "Je t'aime". "Dans tous ces moments de manque de compréhension, console-toi car je t'aimais." (à présent je pleure à nouveau en l'écrivant). Alors je sentis une pression dans mon estomac. Le Seigneur guérissait ma vessie et mon urètre qui à la suite de mes accouchements avaient été déplacés et obstrués. Je passai toute la nuit à louer le Seigneur sans pouvoir dormir. Ça fait de cela un an et je n'ai plus eu aucune douleur. Mais le plus important c'est qu'à partir du moment où je me suis sentie inondée par le sang du Christ, des choses merveilleuses se sont produites dans ma vie spirituelle.»

Virginie Diaz de Enriquez

3) *Par les plaies de Jésus*

Par les blessures de Jésus nous avons été guéris de nos blessures. Par ses plaies nous avons été guéris. Lui, il a enduré le châtiment qui nous apporte la paix et nous avons été guéris par la flagellation. Le Serviteur de Dieu s'est chargé de toutes nos douleurs et maladies pour que, libérés de la peur, nous puissions servir en sainteté et justice tous les jours de notre vie.

C'est pour cette raison que nous avons l'habitude de prier ainsi:

«Par les 5 plaies du Christ Jésus,

je te déclare libre avec la liberté d'un fils de Dieu racheté par le Christ Jésus.

Seigneur Jésus, par le pouvoir de tes plaies, guéris les blessures des souvenirs.

Guéris la racine de ce problème qui cause tristesse, haine, peur, etc.»

4) *Prier en langues*

Nous en reparlerons mais je veux seulement dire que quand nous prions en langues notre esprit est complètement à la disposition au Seigneur pour que lui nous utilise comme des voix de salut et guérison.

La prière en langues est un instrument merveilleux capable de pénétrer jusqu'où l'homme et la science ne peuvent parvenir. Lors d'une retraite sacerdotale à Lyon, en France, il y avait des prêtres ouverts au don des langues, mais il y en avait qui s'y opposaient et même se moquaient. Le pire de tous était un missionnaire qui donnait des cours d'arabe en Afrique. Le 2e jour ce prêtre se mit debout devant tout le monde et écrivit des signes très bizarres au tableau. Ensuite, très ému il nous expliqua : « Pendant la prière en langues d'hier, vous disiez ceci en arabe : "Dieu fait miséricorde." »

En toute prière en langues : « Dieu nous fait miséricorde» car « nous ne savons pas demander comme il faut, alors l'Esprit vient à l'aide de notre faiblesse et intercède pour nous avec des gémissements ineffables. » (Romains 8,26).

5) *Intercession de Marie*

Nous reparlerons d'elle aussi, mais elle a sa place parmi les éléments fondamentaux de la prière de guérison. Elle est la personne qui a le plus fort charisme de guérison car elle porte Jésus, notre salut et elle est au pied de la Croix où l'agneau de Dieu fut blessé par nos révoltes. L'intercession de la prière de Marie est constatée par tous dans les sanctuaires de Marie.

C. Maladie de l'esprit et réconciliation

Notre âme aussi peut tomber malade et voilà qui est plus grave qu'un cancer ou un traumatisme psychologique.

Un samedi, Jésus arriva à la Piscine de Bethesda « Maison de la Miséricorde ». Il vit un homme qui gisait sur son lit et lui ordonna :

— « Lève-toi. Prends ton grabat et marche. » Cet homme, paralysé depuis 38 ans, trouva grâce devant les yeux de Dieu, se leva et commença à marcher. Ensuite, le Maître le retrouva et lui dit :

« Vois, tu es guéri. » « Va-t'en et ne pèche plus pour que rien d'autre de plus grave n'advienne. » (Jean 5, 1-14).

Jésus n'affirma pas que s'il péchait il serait paralysé plus de 38 ans, mais que le fait de pécher serait plus grave que 38 ans de paralysie. De plus, le péché n'est pas seulement une maladie, il produit nécessairement la mort. Saint Paul affirme que :

« Le salaire du péché est la mort. » (Romains 6,23).

Le péché produit la mort car il nous prive de la Vie de Dieu ou mieux de Dieu qui est la Vie.

« Ils m'ont abandonné, moi la source d'eau vive, pour se creuser des citernes, citernes lézardées qui ne tiennent pas l'eau. » (Jérémie 2,13)

Le péché fondamentalement est un manque de Foi en Dieu, provoqué généralement par un excès de confiance en nous-mêmes. Nous croyons plus en nous (nos valeurs, nos pensées, nos sécurités, etc.) qu'en Dieu. Le fruit interdit du paradis est l'homme qui fait plus confiance à ses propres moyens pour obtenir la réalisation de lui-même qu'au chemin proposé par Dieu. Le péché nuit plus à l'homme qu'à Dieu même (Proverbes 8,36) (Jérémie 26,19).

« Leurs révoltes me nuiraient-elles ? Non, c'est à eux qu'elles nuisent pour leur confusion. » (Jer 7,19). Dieu nous aime tant que, tout en sachant le mal que produit le péché en nous, il nous interdit le péché car il ne veut pas que nous soyons esclaves. La guérison complète consiste dans notre libération de la loi du péché qui nous porte à faire le mal que nous ne voulons pas et nous empêche de faire le bien que nous nous proposons de faire. Dieu non non seulement nous pardonne nos péchés mais de plus, nous fortifie pour que nous ne péchions plus. En outre, il change notre cœur pour que nous voulions et fassions ce que Lui commande. Non qu'il commande de l'extérieur mais c'est un impératif qui jaillit comme une exigence de l'être même qui a été transformé par l'Esprit-Saint. Il n'y a pas d'homme qui soit plus homme que celui qui a été libéré de l'esclavage du Péché.

Dieu est le Dieu du pardon (Neh 9,17) qui pardonne toujours et pour toujours. De son côté, Lui, il nous a déjà pardonné tous nos péchés. Le Sang précieux du Christ sur la Croix est le remède qui nous guérit de nos péchés.

Quel Dieu est comme toi qui enlève l'iniquité? et efface la rébellion de son peuple? Tu ne gardes pas ta colère pour toujours car tu es un Dieu dont la joie est l'Amour. Toi, toujours tu compatis et foules aux pieds nos iniquités. Tu précipites au fond de la mer tous nos péchés. (Michée 7, 18-19).

Pour nous, nous devons prendre ce remède grâce à la Foi et la Réconciliation. Par la Foi, nous faisons nôtres les mérites du Christ Jésus sur la Croix. Par la conversion nous mettons en jeu tout le potentiel des fruits de sa rédemption. Il nous suffit de confesser que nous sommes pécheurs face à sa miséricorde pour être pardonnés. Si nous reconnaissons nos péchés, fidèle et juste, Il nous pardonne et nous purifie de toute injustice. (1 Jean 1,9).

Dans ce domaine, la Réconciliation joue un grand rôle car c'est le sacrement de la rencontre de joie, le retour du fils prodigue à la maison de son père miséricordieux qui lui met des souliers neufs (dignité) un vêtement fin (une vie nouvelle) et l'anneau (de l'héritier), organisant une fête car le fils qu'on croyait mort est revenu à la Vie (Luc 15, 11-24).

Jésus a envoyé les apôtres ressusciter les morts (Matthieu 10,8) et il n'y a pas plus mort que celui qui a perdu la Vie de Dieu par le péché.

Cependant, beaucoup ne comprennent pas encore ce beau sacrement, en ont peur et cherchent mille excuses pour ne pas se confesser. Il y avait un prêtre qui travaillait dans un petit village du Pôle Nord. Pour aller au village le plus proche où se trouvait un autre prêtre pour se confesser, il n'y avait pas de route et il devait prendre une vieille avionnette. C'est pourquoi il disait :

— « Moi, je ne me confesse plus, car aller me confesser pour un péché véniel c'est vraiment trop cher payer le voyage en avionnette. Et si j'ai fait un péché mortel, j'ai peur de monter dans le vieil engin. »

Un jour, je rentrais à mon village en voiture. Sans m'en rendre compte, je dépassai la limite de vitesse et un policier me rattrapa en moto. Je m'arrêtai et le policier s'approcha de moi avec son pistolet. En colère, parce qu'il me suivait depuis 10 minutes, il me demanda tandis qu'il lisait mes papiers :

— « C'est vous le fameux Père Tardif. »

— « Oui, répondis-je, désirez-vous vous confesser ? »

Il fut effrayé au point de me rendre immédiatement mes papiers et me dit qu'il était pressé... avec son pistolet et tout le reste, il avait peur de se confesser. Il n'y eut ni amende ni confession à cause de cette peur. Nous avons peur de la confession car nous ne comprenons pas que c'est le sacrement de l'Amour de Dieu. Toutes les fois que nous demandons pardon au Seigneur, quelque soit notre péché, il nous pardonne. Il ne se scandalise jamais de nos péchés ; Il attend seulement que nous les reconnaissions et que nous lui demandions pardon sans nous excuser, ni minimiser la faute. Il n'y a qu'un péché que Dieu ne peut pardonner : celui pour lequel nous ne lui demandons pas pardon, celui que nous ne reconnaissons pas comme péché, celui que nous autojustifions. Le prêtre est le ministre du pardon de Dieu. Il n'est pas juge, ni bourreau mais à travers lui passe la miséricorde divine. Il n'y a pas de tâche plus rude et plus effective, que celle d'accueillir le pécheur enfoncé dans la boue du péché et de le placer devant la porte du paradis. Le prêtre est la seule personne de toute la paroisse qui ait le pouvoir de pardonner les péchés et de présider l'Eucharistie. Personne ne peut le remplacer. Chaque fois que le prêtre confesse c'est un prophète de Dieu qui, au nom du Seigneur, nous dit : « Je t'absous de tes péchés. » Il parle au nom de Dieu. En outre, de même que l'Eucharistie est le lieu privilégié pour recevoir la guérison physique, la Réconciliation est le meilleur moment pour prier pour la guérison intérieure. Un prêtre m'objectait très convaincu : « Je ne peux pas prier lentement pour chaque personne en particulier parce qu'alors je n'ai plus le temps de travailler. » Moi, je lui répondis :

— « Mais quel autre travail as-tu que de libérer les opprimés et d'être ministre de la réconciliation ? » Lui, il pensait que repeindre la Salle paroissiale était son travail, sacrifiant ce que lui seul pouvait faire, ce que personne d'autre que lui ne pouvait faire, pour faire ce que les autres pouvaient faire. Il y en a d'autres qui préfèrent compter l'argent de la collecte que de raconter aux gens les merveilles de Dieu et de les libérer de leur esclavage.

D. Convalescence

Pour tous les cas de maladies que nous avons vus, l'étape de convalescence a une importance capitale car d'elle dépend toute la guérison. Aussi bien dans la guérison physique qu'intérieure. Quand le Seigneur est intervenu d'une manière stupéfiante ou miraculeuse, la personne a besoin d'une étape de convalescence pour ne pas retomber. En voici quelques aspects.

a) *Vie sacramentelle*

La personne qui a été guérie par le Seigneur a besoin tout spécialement d'une nourriture tonifiante que Dieu nous offre à travers les sacrements. Nous parlons de vie sacramentelle car c'est la vie, la vie divine qui se communique à travers eux. On ne peut pas s'en passer si on veut une guérison totale.

b) *Prière*

C'est le contact direct avec la source de la santé. Le contact avec le Seigneur est plus important que le sang ou l'oxygène pour le malade. Si nous brisons ce contact nous nous exposons à perdre quelque chose de plus précieux que la santé physique ou intérieure. La prière est une communion d'amour.

c) *Lecture de la Parole*

La Parole de Dieu purifie (Jean 15,3) et guérit « ce ne sont ni les plantes ni les cataplasmes qui les ont guéris mais ta Parole qui guérit tout. » (Sagesse 16,12). L'Écriture lue et priée avec foi est le remède le plus efficace car c'est la Parole de la Vie éternelle. (Jean 6,69).

d) *La communauté*

Parfois on perd le fruit d'une guérison intérieure car on s'isole et on ne s'intègre pas à la communauté. Plus encore, nous pouvons affirmer que Dieu veut que soit sain tout le corps de son Fils et non seulement les membres. La guérison complète se donne dans la mesure où nous vivons le mystère d'être les corps du Christ. Communauté de foi et d'amour dans l'espérance de la patrie définitive.

e) *Le service*

Nous cherchons tous le bonheur, c'est pourquoi nous voulons la guérison. Cependant, la guérison complète, nous la trouvons dans les béatitudes du Christ Jésus. Jésus nous a donné une règle d'or pour être heureux : « Il y a plus de joie à donner qu'à recevoir » (Actes 20,31).

Dans la mesure où nous sortirons de nous-mêmes pour nous donner aux autres, nous atteindrons la parfaite guérison.

Quand Jésus a libéré Marie-Madeleine de ses 7 démons, il y eut une longue étape de convalescence pour la guérison totale. Si nous y prenons garde, Marie-Madeleine est passée par les 5 points que nous venons d'énumérer.

VI

LA LIBÉRATION

Il existe un domaine aussi délicat que réel qui est celui de l'action du Démon sur le monde et les personnes. Jésus en parle souvent et fréquemment, nous le trouvons plongé dans la lutte contre Satan et ses pouvoirs qui dominent le monde. De plus, l'une des preuves que Jésus offre de son messianisme est l'expulsion des démons: « Si par le doigt de Dieu, j'expulse les démons c'est que le Royaume de Dieu est arrivé » (Luc 11,20, Matthieu 8,16, Luc, 7,21). Jésus a vaincu par sa mort le Prince des ténèbres, et par sa résurrection nous avons été transportés dans le règne de son amour.

Pierre (Acte 10,38) résume l'œuvre messianique de Jésus en 4 points:

— Oint de l'Esprit-Saint et de son pouvoir.
— Il fit le Bien.
— Il guérit.
— Il libérait ceux qui étaient opprimés par le diable.

C'est dans cette synthèse que nous pouvons saisir le ministère de libération. Ce n'est pas un ministère isolé, il s'intègre dans le contexte de l'Évangélisation. Ce sont des personnes qui ont reçu de Dieu l'onction de l'Esprit-

Saint qui le réalisent au nom de Jésus. Il ne s'agit pas seulement d'expulser les démons mais de faire le bien, le maximum de bien : laisser agir le salut dans la personne et la communauté.

Les apôtres aussi ont été envoyés pour évangéliser et expulser les démons (Matthieu 10,7-8) et revinrent heureux car ils les dominaient (Luc 10,17). Cependant il y a des gens qui pensent que tirer de ces textes la conclusion de l'existence et de l'action du Démon serait du fondamentalisme biblique ou un retour à des idées médiévales.

Non que cela m'intéresse de proclamer et faire connaître l'existence de Satan, mais il faut que le monde connaisse et aime Jésus. Or Satan est le grand ennemi de Dieu qui met un obstacle à notre rencontre avec le Seigneur.

Si nous ignorons les sortes de mensonges dont il use toujours, nous ne pourrons être prévenus contre ses attaques. Le pape Paul VI dans son célèbre discours du 15 novembre 1972 disait : « L'un des principaux besoins de l'Église d'aujourd'hui est celui des moyens de défense contre le malin qui s'appelle le Démon. Le mal n'est pas une simple absence de quelque chose mais un agent effectif, un être vivant et spirituel, perverti, pervers et qui pervertit. C'est aller contre les enseignements de la Bible et de l'Église que de se refuser à admettre une telle réalité ».

Il faut dire que le Notre Père s'achève sur ces mots « Délivre-nous du Mauvais, pas seulement "du mal" » comme on le traduit généralement (Matthieu 6,13).

La grande victoire de Satan commente le Père Salvador Carrillo, docteur en Théologie, est que nous ne croyons plus en lui, ainsi lui permettons-nous d'agir en toute liberté.

La Bible parle peu du Démon. Dans l'Ancien Testament il n'apparaît presque pas. Après la venue de Jésus son influence diminue à nouveau, n'apparaissant que dans très peu de textes. C'est dans les Évangiles, face à la présence salvatrice du Christ Jésus que se ravive son action et se révèle sa présence. Qu'y a-t-il donc d'étrange à ce qu'au moment où nous vivons cette manifestation puissante du Christ se déchaînent les forces du mal, comme cela se produisit pendant le ministère de Jésus ?

Nous insistons sur le fait que l'action diabolique ne doit pas être centre d'attention. Elle est seulement symptomatique, le signe que Jésus est en train d'agir puissamment parmi nous. Il est venu nous libérer du pouvoir du prince de ce monde, et il a gagné la bataille sur la croix. Satan est vaincu c'est pourquoi il est enragé parfois, car il est entravé. Jésus a déjà écrasé la tête de l'ennemi (Gen. 3,15). Il y en a qui proclament et même exagèrent le pouvoir et l'action de Satan, lui attribuant tout ce qui est mauvais, la première difficulté ou maladie venue. Ils voient des diables partout et veulent exorciser le premier rhume qu'ils ont. Tel est l'autre extrême, on oublie que les ennemis de l'âme sont aussi le monde et la chair. Satan aime deux choses : que nous l'ignorions ou que nous lui donnions le plus grand rôle. Son action se manifeste sous trois formes : l'oppression, l'obsession qui sont les plus générales et la possession qui est peu fréquente.

A. L'oppression

C'est l'action de Satan sur les corps ou les choses. Par exemple, des bruits la nuit, des choses qui bougent, des lumières qui s'éteignent, des voix, certaines maladies bizarres qui n'ont pas d'explication médicale. Ce sont des actions extérieures. Un évêque des Caraïbes m'envoya sa cousine qui souffrait d'une maladie très étrange. Nous priâmes et le Seigneur la libéra. Ensuite elle me demanda de venir chez elle car il se passait des choses bizarres. Je lui dis que je ne le voulais pas car son évêque pouvait y aller et bénir sa maison.

Alors le problème cessa. Tout fut très simple car pour Jésus tout est très simple. Nous avons distingué les problèmes faciles des problèmes difficiles mais pour Jésus tous les problèmes sont faciles, sinon Il ne serait pas le Seigneur. Je me souviens d'un autre cas très important. Un homme du nom de Julio Nunez qui ne pouvait marcher qu'à quatre pattes comme un petit animal, fut guéri par le Seigneur dans une assemblée de prière. Sa guérison eut un tel impact qu'il témoignait partout. Une dame le rencontra, le reconnut et lui dit : — « N'est-ce pas toi le paralysé ? » — « Si mais le Seigneur m'a redressé. » Nous l'avons même invité plusieurs fois à nous accompagner et à témoigner lors de plusieurs retraites de la merveilleuse guérison qu'il avait reçue. Un an après, le Curé de San Francisco de Macoris nous demanda de prêcher une retraite charismatique. J'invitai Julio Nunez, pensant que son témoignage serait plus fort en tant que membre de la paroisse.

À mon arrivée, tandis que je le demandais, une dame s'approcha et me dit tristement :

— « Père, Julio a fait une rechute. Si Père, il ne peut marcher qu'à quatre pattes ».

— « Depuis quand ? »

— « Depuis cinq jours ».

Je l'envoyai chercher à cheval. Nous commençâmes à prier en demandant sa guérison. Moi je disais au Seigneur — « Seigneur, tu ne vas pas nous faire ça, ici, dans la paroisse de Julio, que vont penser les gens ? »

Mais le Seigneur ne le guérissait pas. Alors nous priâmes en langues et me vint à l'esprit en un éclair le nom « esprit de maladie ». Alors je dis au nom de Jésus :

— « Esprit de maladie, je t'ordonne au Nom de Jésus de sortir et de libérer cet enfant de Dieu. Je te commande au Nom de Jésus d'aller te prosterner à ses pieds pour qu'il dispose de toi et je t'interdis de recommencer à molester cette personne qui est enfant de Dieu et ne t'appartient en rien ».

Julio sentit un frisson et en toute simplicité se leva et commença à marcher. Satan l'opprimait pour qu'il ne puisse donner le témoignage de sa guérison. Mais Dieu est plus intelligent et rétablit Julio. Son témoignage fut double : celui de sa guérison et celui de sa libération de l'oppression.

Dans la prière en langues le Seigneur vint en aide à notre faiblesse et nous donna un discernement charismatique pour nous dire ce qui arrivait à Julio. Il souffrait d'un esprit de maladie. Ceci peut paraître étrange à ceux qui n'ont pas lu l'Évangile mais on y rencontre un cas très semblable : « Il y avait une femme qu'un esprit rendait malade depuis 18 ans, elle était toute courbée et ne pouvait pas du tout se redresser (Luc 13,11). Jésus fit une libération quand il lui dit "Femme tu es libérée de ta maladie" ».

Dans les textes, on constate que les gens amenaient aux apôtres des malades et des personnes tourmentées par les esprits (Actes 5,16).

B. L'obsession

Nous appelons obsession l'influence ou l'action de l'ennemi sur l'esprit des personnes. L'oppression se manifeste sur le plan extérieur ou matériel ; l'obsession, elle se manifeste à l'intérieur.

Il y a des personnes tourmentées par d'épouvantables obsessions sexuelles, des idées de suicide, un esprit de blasphème, d'autodestruction, de mépris ou un esprit qui se fait sentir indigne du pardon de Dieu etc. Dans ces cas, parfois la cause n'est pas seulement physique ou psychologique, mais on est tourmenté par une obsession qui rend esclave et ôte les forces qui rendent victorieux. L'obsession est comme une tentation mais au lieu d'être passagère elle est permanente, outre le fait qu'elle a une force et une intensité qui dépassent nos capacités humaines de la vaincre.

Un jour à Mexico, on m'amena une femme qui avait depuis des années d'étranges souffrances. Nous priâmes pour elle et lui demandâmes de dire avec nous le Notre

Père. Mais elle ne pouvait pas dire «Pardonne-nous comme nous pardonnons à ceux qui nous ont offensés». Elle avait une grande rancœur car un ennemi pour se venger d'elle avait jeté un maléfice sur elle. Après cela elle commença à souffrir beaucoup et à haïr cet homme. Ce n'était pas un simple ressentiment mais un véritable esclavage. Nous priâmes pour sa libération sans résultat. Alors je me souvins de ce jeune que les disciples n'avaient pu libérer du lien de Satan et qu'ils amenèrent à Jésus. Donc nous nous approchâmes du Saint Sacrement et demandâmes à Jésus de la libérer par son sang précieux. Le Seigneur la libéra immédiatement de l'esprit de sorcellerie et de la rancœur. Pour la première fois depuis longtemps elle put réciter le Notre Père.

En République Dominicaine, il y avait un homme marié à une femme avec deux petits enfants. Mais lui n'arrivait pas à abandonner la prostitution. C'était un désir supérieur à ses forces et qu'il ne pouvait dominer. Il s'efforçait de le faire sans résultat. Alors nous fîmes une prière de libération pour lui, sans résultat jusqu'à ce que nous comprenions que c'était un esprit impur qu'il fallait expulser. Mais en l'évangélisant le Seigneur fit son œuvre et il fut libéré de son obsession.

Au Québec il y avait une religieuse qui, quand elle allait communier avait dans l'esprit comme une image pleine de blasphèmes. Elle pleurait et souffrait beaucoup à cause de cela. Elle parla à son confesseur qui lui conseilla de prier la Vierge Marie. Ni les pénitences, ni les jeûnes ne lui donnaient de résultats. Un jour un prêtre charismatique de Québec alla au couvent, pria pour elle, pour qu'elle soit libérée de cet esprit de blasphème. Elle fut rétablie complètement grâce à cette prière. Dans le Nouveau Testament, il y a différentes sortes d'esprits qu'il faut connaître :

— Esprit immonde ou impur qui est le plus fréquent (Matthieu 12,43, Marc 1,23,26,27 Marc 3,11-5, 2,8,13; 7, 25) (Luc 4,33-36, 6,18, 8,29, 9, 25-42, 11,24)

— Esprit muet (Marc 9,17)

— Esprit sourd et muet (Marc 9,25 b)
— Mauvais Esprits (Luc 7,21) (Actes 19,12)
— Esprits malins (Luc 8,2)
— Esprits de divination (Actes 16,16)
— Esprit du mal (Éphésiens 6,12)
— Esprits trompeurs (1 TM 4,1).

a) *La prière de libération*

Le ministère de libération se réalise grâce au nom de Jésus Christ et son pouvoir. C'est en son nom que nous prions le Père et résistons aux pièges de l'Ennemi. C'est avec son pouvoir que nous libérons de toute oppression et obsession. Cette libération a deux aspects :

— prier le Père au Nom de Jésus pour qu'il libère la personne de tout ce qui la rend esclave. Cet aspect est évident.
— commander par le pouvoir du Christ qui a dit : « En mon Nom ils expulseront les démons » (Marc 16,17). Il ne s'agit pas d'une demande mais d'un ordre de laisser la personne libre et en paix. Cette autorité s'exerce au Nom du Christ Jésus.

La prière la plus simple et efficace est dans Saint Paul : « Au Nom du Christ Jésus, je t'ordonne de sortir de cette femme » (Actes 16,18).

Certains expulsent l'esprit mais ne lui interdisent pas de revenir, oublient cette parole de l'Évangile : « L'Esprit rôde alentour et peut revenir avec sept autres plus forts que lui » (Matthieu 12,43-45). Il faut lui donner l'ordre « Je t'interdis de revenir » (Marc 1,25).

Pour faire cette prière, il faut d'abord demander la protection du Seigneur.

Ainsi, de même que dans la nuit de Pâques, les linteaux des hébreux, protégés par le sang de l'agneau pascal, étaient respectés par l'Ange exterminateur, de même que le sang de l'Agneau de Dieu nous couvre, protège et libère de toute influence du mal.

Généralement je fais une prière comme celle-ci : « Je réclame sur moi et sur ceux qui sont ici, le Sang de l'Agneau de Dieu qui enlève le péché du monde pour qu'il me purifie de tout péché et nous protège de toute influence du Malin ».

Je me souviens d'un des premiers cas de libération pour lequel nous avons commis des erreurs mais qui nous apprit beaucoup : sans demander une protection préalable nous fîmes une prière de libération pour une personne dans un groupe de prière où il y avait plus de trente personnes. Nous priâmes et commandâmes à l'Esprit de sortir. Cette personne se leva libérée mais aussitôt une autre personne manifesta les mêmes symptômes. Nous priâmes et le Seigneur la libéra mais le problème s'était encore déplacé sur une autre personne. Outre le fait que nous n'avions pas demandé la protection du Seigneur, nous apprîmes une chose pour la vie entière.

— Il ne suffit pas d'expulser l'Esprit mais il faut lui interdire de revenir (Marc 9,25) et l'envoyer au pied de la Croix pour que le Christ dispose de lui.
— Cette prière doit se faire en communauté réduite dans un lieu privé sans curieux ni enfants.
— Le groupe doit être formé de personnes mûres et prudentes qui ne voient pas des diables partout mais qui sachent discerner son influence et sa présence.
— Nous recevons l'autorité sur tout bien et nous le brisons au Nom de Jésus, par son Précieux Sang et ses plaies glorieuses.

Encore un aspect important : il ne suffit pas de chasser les ténèbres, il faut allumer la lampe du Christ. Si nous évangélisons authentiquement, portant le Christ aux autres, nous éviterons de nombreux cas de libération car quand le Christ Jésus, le plus fort, entre il expulse le plus faible (Luc 11,22).

La lumière repousse les ténèbres (Jean 1,5).

La libération efficace ne peut être menée à bien que dans une évangélisation intégrale. Expulser les Esprits pour les expulser n'a aucun sens. Jésus a d'abord envoyé ses apôtres pour annoncer son Royaume et non pour expulser les démons. L'expulsion est une conséquence de l'évangélisation (Matthieu 10,7,8).

En général je refuse de prier pour la libération de personnes qui ne sont pas engagées dans un processus de conversion.

b) *Autolibération*

Dans les cas d'obsession et d'oppression nous pouvons faire une prière d'autolibération en tenant compte de tout ce qui vient d'être dit. Par la foi de notre baptême nous partageons la victoire du Christ et recevons de son Nom l'autorité d'expulser les Esprits qui nous inquiètent, gênent et perturbent. Par le pouvoir du Christ, la personne se déclare libre grâce au Sang de Jésus. Selon le cas et le discernement charismatique, on peut faire la prière suivante: «Esprit de (suicide, mépris, impureté, rancœur, peur, etc. je t'ordonne au Nom de Jésus que tu t'éloignes de moi et ailles au pied de Jésus pour qu'il dispose de toi. Je t'interdis, au Nom de Jésus de revenir me nuire.

C. La possession

Elle est très rare et nous ne devons y penser qu'en dernier lieu après avoir épuisé les autres possibilités. Elle vient de ce que la personne a livré sa volonté consciemment à Satan, vendant son âme, signant des pactes sataniques avec son sang ou en appartenant à des sectes diaboliques. Elle se trouve aussi chez des personnes consacrées par leurs parents au Diable, comme le font certains sorciers.

Cet esclavage est si fort que la personne perd sa volonté et la possibilité de se libérer de ses chaînes. Alors un pouvoir extérieur est nécessaire à travers un exorcisme liturgique. Cet exorcisme formel est fait par l'évêque ou un prêtre délégué par lui pour ce faire avec force, jeûnes et prières.

VII

AIDES POUR LA GUÉRISON

Certains auteurs signalant des obstacles à la guérison font une liste des actes ou attitudes qui bloquent l'action du Seigneur. Cela paraît discutable car Jésus est le maître de l'impossible et rien ne peut empêcher son action « salvifique ». Il est libre et puissant et peut agir avec notre collaboration ou sans elle. Il agit d'une façon ou d'une autre façon parfois. Il est certain qu'il nous guérit gratuitement. Par exemple on affirme que l'absence de foi est une cause pour laquelle le Seigneur ne nous guérit pas. Cependant je fus témoin de guérisons parmi les musulmans et gens sans foi. Dieu est beaucoup plus grand que notre manque de foi. Nous ne pouvons pas lui imposer des règles de conduite. Ses voies ne sont pas les nôtres, elles sont meilleures. (Isaïe 55,8).

C'est pour cette raison que je préfère parler de moyens et d'aides qui favorisent l'action de Dieu. La grâce de Dieu est efficace mais si elle est sur un terreau préparé, alors elle peut donner beaucoup de fruits.

A. En évangélisant

Le pire de tout serait de dissocier le ministère de guérison de son contexte d'évangélisation. La guérison isolée et séparée de l'annonce explicite du salut dans le Christ Jésus est facilement mal comprise. La promesse de Jésus :

« En mon Nom vous expulserez les démons, parlerez des langues nouvelles, imposerez les mains aux malades et ils seront guéris» vient immédiatement après l'ordre « Allez dans le monde entier partout proclamez la Bonne Nouvelle» (Marc 16,14-16). Évangéliser est instaurer le salut intégral de l'homme par le Christ Jésus, salut qui s'étend au corps, à l'âme et à l'esprit. Guérir sans annoncer la bonne nouvelle du salut est œuvre de rebouteux. La guérison réalisée par Dieu est toujours dans un contexte d'évangélisation. Jésus a envoyé ses Apôtres pour évangéliser et par ce moyen guérir les malades. Non seulement guérir mais proclamer un message. Les deux choses vont toujours ensemble. Le dernier mot de l'Évangile de Marc est « Ils partirent prêcher ; partout le Seigneur collaborait et confirmait la Parole par les signes qui l'accompagnaient». C'est pourquoi je n'aime pas prier pour les malades si je ne peux pas proclamer que Jésus est vivant et donner quelques témoignages qui démontrent que l'Évangile est vrai et qu'il est vécu aujourd'hui. Moi je suis témoin de la multiplication des miracles et des guérisons quand on annonce Jésus. Je ne comprends pas comment il peut y avoir encore des personnes qui sont surprises et n'acceptent pas les miracles. Moi, ce qui me surprendrait davantage c'est que Jésus ne tienne pas ses promesses de guérir les malades quand nous annonçons son Nom.

Pendant le congrès de Québec en 1974 on me demanda une session sur les signes qui accompagnaient l'évangélisation. La salle de conférence était remplie de 2000 personnes, comme il y avait beaucoup de bruit dans le couloir je sortis moi-même fermer la porte pour que nous soyons tous plus recueillis. Dans le couloir il y avait une dame sur un fauteuil roulant qui ne marchait plus depuis cinq ans et demi. Je l'invitai à entrer mais elle me répondit : « Je voudrais bien mais on ne me laisse pas entrer, car la salle est pleine et je ne peux marcher». «Venez», lui dis-je et je poussai le fauteuil. Je fermai la porte et commençai ma conférence, insistant sur l'importance d'annoncer Jésus ressuscité qui guérit et sauve tout homme et tous les hommes.

Je donnai le témoignage de ma guérison et dis comment le Seigneur guérit par son amour. Je soulignai l'importance du témoignage des merveilles du Seigneur dans notre vie. Une personne se mit debout et dit : — «Je suis chrétien et je crois en Dieu. Mais je suis médecin et je crois qu'avant d'affirmer que nous sommes guéris nous devrions faire un examen médical qui le confirme comme à Lourdes.»

«En tant que médecin vous avez le droit de le faire, mais quand quelqu'un ressent la guérison comme ce fut mon cas il ne peut attendre ce que les médecins diront pour rendre grâce à Dieu».

Il répliqua en disant que nous devions être prudents etc. et utilisait des mots que moi-même je ne comprenais pas. Ses propos étaient comme de la glace qui tombait sur l'assemblée car moi je ne savais pas quoi lui répondre. Tandis que ce médecin était en train de tout placer sous sa sagesse et sa prudence, la dame du fauteuil roulant sentit une force, se leva, commença à marcher seule dans l'allée. Cela faisait cinq ans et demi qu'à cause d'un accident de voiture elle ne marchait plus. On lui avait enlevé les rotules dans une opération délicate. Et donc médicalement elle ne pouvait plus remarcher. Mais le Seigneur la fit se lever devant les applaudissements et l'admiration de tous. Les uns pleuraient les autres la félicitaient. Son nom était Hélène Lacroix. En arrivant au micro elle nous donna son témoignage. Quand elle acheva et que les gens applaudissaient je m'adressai au médecin et lui demandai s'il croyait qu'il fallait attendre un examen médical ou si maintenant nous pouvions rendre grâce à Dieu. Il se jeta à genoux sur le sol. C'était le plus ému de tous. Il se sentait peiné et honteux de s'être rendu ridicule. Je lui dis : — «Ne vous inquiétez pas, Dieu voulait faire un grand miracle aujourd'hui et s'est servi de vous pour manifester sa Gloire en disant "Comme le père Émilien Tardif ne peut te répondre, Moi je te répondrai"». Telle fut la première guérison que je vis de mes yeux précisément en évangélisant.

B. Dans la Foi de l'attente

La foi canalise l'eau vive de la guérison qui se manifeste dans notre vie. La foi nous fait entrer en communion avec Dieu Lui-même et participer à son salut intégral avec guérison physique ou intérieure. La foi c'est avoir confiance, dépendre de Dieu et se livrer sans conditions à Lui, à son dessein sur notre vie, renonçant à nos plans et moyens de salut. C'est-à-dire que la foi nous fait fixer les yeux sur le Seigneur Jésus qui est mort pour nous et est ressuscité. Il y a des gens qui ont les yeux sur eux et non sur le Seigneur. Ils pensent plus à leur guérison qu'à Celui qui vient. Il s'agit d'avoir Foi en Jésus, non pas foi dans notre foi. Cette dernière ne sert à rien. Le plus grand acte de foi est de croire que Dieu est plus grand que notre petite foi et qu'il ne peut dépendre de nous.

Nous appelons « attente dans la foi» la certitude et la confiance que nous avons un Dieu qui agit selon ses promesses, sachant qu'il veut nous guérir. Quand nous croyons de la sorte, c'est comme si au lieu de tendre des cables fins nous en tendions d'énormes, afin que l'action de Dieu ait un voltage puissant.

Moi, généralement je n'accepte pas de prier pour les malades sans avoir auparavant édifié leur foi par quelques témoignages pour qu'ils attendent et aient confiance dans le Seigneur qui veut les guérir.

Un jour je concélébrais l'Eucharistie avec un évêque. Son homélie fut un joyau, elle montrait brillamment la valeur de la croix et de la souffrance. Après la communion il me surprit car il me demanda de prier pour les malades et je lui répondis : — « Monseigneur votre homélie sur la croix a été si belle que plus personne ne veut maintenant guérir ; mais si vous me permettez de parler du pouvoir de la croix et de la guérison comme signe de l'amour de Dieu... » Jésus nous a promis que nous obtiendrons ce que nous croirions avoir déjà reçu (Marc 11,24). L'évangile est plein de personnes qui demandent et reçoivent, cherchent et trouvent, appellent et on leur ouvre la porte. Dieu nous demande d'être simples dans notre foi. Cependant il y a des gens qui prient ainsi :

— « Seigneur si telle est ta volonté et si cela me convient pour ma sanctification et mon salut éternel, alors guéris-moi ». Il y en a qui mettent tant de conditions que celles-ci semblent excuser leur manque de foi. Nous devons être des pauvres qui dépendent complètement de leur père. Un enfant ne dit jamais à sa mère :

— « Maman, si cela me convient, si cela ne fait pas de mal à mon cholestérol, donne-moi un œuf ! »

L'enfant demande simplement et la mère sait ce qui lui convient ou non. Il nous faut être pauvres et humbles, demandez avec la confiance de recevoir. D'autres limitent le pouvoir et disent : — « Seigneur, je suis malade du cœur, de la gorge et du genou, mais pourvu que tu guérisses mon cœur cela me suffirait ».

Ceux-là aussi prient mal. Il faut demander le paquet plein sans mettre de limites à l'action de Dieu. Lui il est magnanime et donne en abondance. S'il possède et donne l'Esprit Saint sans mesure, c'est sans mesure aussi qu'il concède ses dons.

Quand le pape Léon XIII fêtait ses 50 ans d'épiscopat, un cardinal voulut le flatter : — « Nous demandons à Dieu de vous donner encore 50 années semblables » et le pape de répliquer avec sagacité : — « N'imposez pas de limites à la Providence divine ! ».

Le 13 juin 1975 j'allai à la campagne célébrer la fête de saint Antoine. Je confessai, je prêchai, célébrai l'Eucharistie et priai pour les malades. Je sortis rapidement de la Sacristie car j'avais encore quelques baptêmes à faire et beaucoup d'autres choses. Une jeune fille vint à ma rencontre tenant sa mère par la main, elle me dit très décidée : — « Père priez pour que ma mère guérisse ! ». Moi je lui répondis un peu fâché : — « Mais nous venons de faire la prière pour tous les malades ». Alors elle avec la foi de la femme sirophénicienne de l'évangile dit : — « C'est que ma mère est sourde et elle ne s'est pas rendu compte du moment où vous avez prié ».

Je ressentis de la compassion pour ces gens si pauvres et si simples, je lui fis signe de s'asseoir vite et toute ma prière fut : — « Seigneur, guéris-la mais vite car j'ai beaucoup de travail ». Aussitôt je me baissai et demandai à la mère : — « Depuis quand êtes-vous sourde ? » — « Depuis 8 ans ». Je fus surpris de l'entendre car je pensais qu'elle ne devait pas avoir entendu ma question. Alors je lui parlai à voix plus basse et lui dis : — « Vous semblez une bonne mère ». Elle sourit, elle m'avait entendu ! Mais c'est surtout le Seigneur qui avait entendu notre prière si originale. Elle sentit comme un souffle rapide qui entrait dans ses oreilles et les débouchait. Alors je pus vérifier la vérité de cette parole du Seigneur : — « Avant que vous m'appeliez Moi je vous répondrai, vous serez encore en train de parler que déjà je vous écouterai (Isaïe 65,24).

— « La Parole n'est pas encore sur ma langue que déjà Toi Yahvé, tu la connais tout entière » (Psaumes 139,4).

La foi et la guérison sont intimement liées, comme le dit d'une si belle manière Maria Teresa G. de Baez., guérie par Dieu d'une arthrite rhumatoïde ce qui fit que toute sa famille put se rapprocher du Seigneur : — « Je n'ai pas de mots car aujourd'hui je ne dois pas seulement remercier Dieu pour ma guérison physique mais aussi pour quelque chose de plus grand et de plus merveilleux qui est la foi, qui fait de Dieu les paroles de mes chansons, l'image de mes rêves et la lumière de mes yeux. Paraguay-Assomption 25/8/1981 ».

C. Repentir

Il favorise les guérisons physiques et intérieures. La maladie est en soi (non telle ou telle en particulier) le fruit du péché. Si nous nous repentons de notre péché et nous convertissons à Dieu, nécessairement les conséquences du péché vont cesser. Il suffit de lire Corinthiens 11,30. J'avoue qu'il y a des personnes qui vivent dans le péché et sont guéries par le Seigneur, mais je suis aussi témoin de ce que le plus grand nombre de celles qui reçoivent la guérison sont amenées à un repentir. Cependant le chemin normal est celui que nous trouvons dans l'Évangile.

— D'abord la guérison du péché. « Tes péchés te sont pardonnés ».

— Ensuite la guérison physique. « Lève-toi, prends ton grabat et marche (Marc 2,5-11). Une jeune fille de 26 ans, Altagracia Rosario, était sourde depuis 2 ans et aveugle depuis plusieurs mois, et en plus une anémie la tenait alitée dans l'attente de la mort. Sa mère l'amena à la 5e réunion de Pimentel en 1975. Il y avait tellement de monde partout qu'elle dut la coucher sur le sol. La pauvre malade sourde et aveugle souffrait beaucoup et ne se rendait pas compte de ce qui se passait. Le lendemain elle était complètement guérie, elle voyait et entendait parfaitement. Mais, le plus merveilleux, ce ne fut pas la guérison de ses yeux et de ses oreilles mais l'entrée du Seigneur dans son cœur et l'abandon du péché dans lequel elle était depuis longtemps. Ensuite elle devint catéchiste et témoigna à San Francisco de Macoris, son village. Des mois après tandis qu'elle vivait avec bonheur la nouvelle vie que Jésus lui avait donnée, elle fut malade et eut beaucoup de fièvre. Le 18 novembre, elle dit joyeusement à sa mère : — « Maman j'ai entendu la voix du Seigneur dans mon cœur. Il me disait que dans deux jours il viendrait me chercher pour m'emmener avec Lui ! » Sa mère lui répondit : — « Altagracia ne dis pas cela. C'est ta fièvre qui te fait délirer et penser que c'est la Voix du Seigneur. Ne répète pas cela car on va se moquer de toi. » Cependant elle le disait à toutes les catéchistes qui venaient lui rendre visite. Et effectivement le 20 novembre elle mourut heureuse et en chantant comme un oiseau. Son enterrement fut très beau, au milieu des chants de joie et d'espérance. Elle avait été guérie complètement : il n'y eut ni deuil, ni larmes mais bonheur et joie car elle avait rejoint définitivement celui qu'elle aimait. Une dame, Annette Giroux qui avait 28 ans, souffrait de la maladie de Parkinson. Ses parents l'amenèrent à la messe de clôture du Congrès de Montréal à la Pentecôte de 1979. À l'heure de la communion, un prêtre monta les gradins et vint lui offrir la communion mais elle lui dit : — « Non, je ne peux pas communier car je vis dans le péché». Elle vivait depuis deux ans dans le concubinage. C'est là et à ce moment-là qu'elle décida de changer sa conduite. Elle se repentit, se confessa, communia et prit le risque de la foi. En rentrant chez elle, elle dit à l'homme avec lequel elle vivait: — « À partir d'aujourd'hui ne me considère plus comme ta femme, à moins que tu veuilles te marier avec moi à l'Église. Dans trois jours je retourne chez mes parents. Elle prit une chambre à part et deux jours après elle se réveilla avec une grande chaleur dans tout le corps. Elle se leva en disant qu'elle n'avait plus mal. Elle était complètement guérie. C'est ainsi que, guérie dans son âme et dans son corps elle retourna chez ses parents. Deux mois après son mariage était célébré en présence des groupes de prière qui avaient écouté son témoignage. Elle s'était d'abord repentie puis elle avait été guérie physiquement. Dans le cas dont nous allons parler, il advint tout à fait le contaire: Marino n'était pas entré depuis 10 ans dans une église, mais il fut guéri de son penchant pour l'alcool, et même de son ulcère; le jour où sa mère doña Sara donna le témoignage de sa merveilleuse guérison, il revint tout heureux chez lui. Il voulait communier mais il ne le pouvait pas à cause de sa situation matrimoniale, car il vivait en concubinage adultère avec une femme dont il avait eu des enfants. Comme la séparation n'était pas possible, et moins encore l'union avec la première épouse, mais qu'il avait une grande faim de Dieu, il fit chambre à part et vécut avec sa femme, pendant quelques mois comme vivent les frères et les sœurs. Il put communier le jour de la Pentecôte et le Seigneur le remplit de précieux charismes pour évangéliser. Il m'accompagnait dans de nombreuses retraites dans le pays, parlant aux couples pour qu'ils restent fidèles au Seigneur dans le mariage. Après quelques années de ce chemin difficile, l'archevêque étudiant à fond son premier mariage trouva une cause suffisante pour l'annuler. Ainsi il put se marier à l'Église avec la femme avec laquelle il vivait. Ce fut une messe célébrée par l'archevêque lui-même. L'église était pleine de couples auxquels il avait prêché la fidélité conjugale. L'important c'est que le Seigneur veuille nous guérir complètement; corps, âmes et esprit. Parfois la guérison physique aide la conversion, parfois le repentir aide la guérison physique.

D. 1er pardon

De nombreuses fois nous avons été témoins de la manière dont le pardon donné à nos ennemis entraîne l'action de guérison de Dieu. La prière que le Seigneur nous a enseignée le dit clairement: — « Pardonne-nous nos offenses comme nous pardonnons à ceux qui nous ont offensés» (Matthieu 6,12). D'autres textes le disent aussi.

D'autre part, presque toujours quand Jésus promet l'efficacité de la prière et la réponse à nos demandes, celles-ci sont liées et dépendantes du pardon (Matthieu 18,21, Marc 11,25).

Beaucoup de gens pensent que pardonner c'est perdre, et ne se rendent pas compte que c'est gagner car cela nous libère de nos haines et de nos ressentiments. Cela nous rend semblables à Jésus qui aima ses ennemis et leur pardonna et cela nous ouvre au pardon et à la grâce de Dieu. Le témoignage suivant le montre: « Une fois je sentis que le Seigneur me demandait de pardonner à une personne qui m'avait fait du mal. Comme je n'étais pas disposé à renoncer à la vengeance je résistais et présentais l'excuse suivante: — «Seigneur pourquoi veux-tu que je prie pour elle, puisque de toute façon toi tu es si bon que tu la béniras même si je ne te le demande pas?» Et une voix intérieure me répondit clairement:

— Nigaud, tu ne te rends pas compte que, en priant pour elle le premier guéri c'est toi?».

Pardonner c'est ressusciter en nous la nouvelle vie apportée par Jésus. Pardonner et demander pardon est comme l'éclair qui annonce une pluie féconde. Le témoignage d'Évaristo le montre bien: «Depuis ma tendre enfance des problèmes sérieux avec mon père m'avaient obligé à quitter la maison. Moi je pensais que le temps guérirait tous ces amers souvenirs de mon enfance, mais il n'en fut pas ainsi. Je vécus toujours avec le fardeau de mon histoire douloureuse. Dieu me fit la grâce de connaître le renouveau charismatique qui me libéra de nombreux liens, donnant une grande impulsion à ma vie de foi. Cependant quelque chose me manquait. Je n'avais pas la joie spontanée et naturelle que je voyais chez tous les gens du renouveau. Je me sentais amer et ennuyé de tout. Ainsi passèrent quelques années jusqu'à ce qu'en février 1977 mon père tombe gravement malade. Je savais que j'avais devant moi l'occasion de me réconcilier avec lui mais je n'avais ni la force ni le courage de le faire. Le 13 février, tandis qu'il agonisait, je luttais en moi-même car je sentais que je n'avais pas la force de lui pardonner. Je me mis en prière et dis au Seigneur: — «Tout seul je ne peux pas». Une voix intérieure me dit très clairement: — «Tout seul tu ne peux pas, mais en mon Nom tu peux, tout est possible pour celui qui croit.» Avec la force du Seigneur je m'approchai de mon père, je l'embrassai lui pardonnant de tout cœur. Non seulement cela mais je lui demandai aussi pardon avec des larmes aux yeux. Le visage agonisant de mon père se transfigura ou peut-être était-ce moi qui le voyais avec d'autres yeux, car le Seigneur m'avait transformé. Je l'aimais avec le cœur du Christ Jésus et je l'embrassais avec les bras de Jésus. Depuis ce jour je commençai à entonner un chant nouveau à notre Dieu, une louange de joie qui n'a pas cessé en 7 ans. Le Seigneur m'a fait voir sa gloire grâce à cette guérison intérieure à travers le pardon. Maintenant je suis heureux et je proclame joyeusement que le Seigneur a fait des merveilles en moi et je témoigne que je peux tout en Celui qui me fortifie.

Un autre très beau témoignage est celui d'Olga G. de Cabrera au Guatemala. « Pendant 10 ans j'ai souffert d'intenses douleurs dans les jambes et les bras, avec des déformations. Je vis 15 médecins pour ma guérison et l'un d'eux me dit qu'il fallait m'amputer la jambe gauche. Le 1er mai 1976 j'étais complètement invalide. Je devais passer le reste de ma vie au lit et sur mon fauteuil roulant que je haïssais tant. Je savais qu'il y avait une messe pour les malades dans le gymnase. Je décidai d'y aller sur mon fauteuil roulant. On me plaça devant quand entra le cardinal Casariego. Il s'arrêta devant moi, prit mes mains dans les siennes et me dit : — « Le Seigneur t'aime, aujourd'hui il va te guérir. » Quand la prière de guérison intérieure commença je pleurai et pardonnai de tout cœur à ceux qui m'avaient fait beaucoup de mal. Ensuite, quand le père Tardif pria pour la guérison corporelle je sentis que quelque chose me poussait et me disait : — « Lève-toi et marche ! » Je sentis une forte chaleur et ensuite un frisson. Les yeux pleins de larmes, je me levai et commençai à marcher face à l'autel.

Le Seigneur est tellement merveilleux qu'il m'a guérie physiquement, moralement, et intérieurement. Que son Nom soit béni et loué pour toujours ! Gloire à Toi Seigneur Roi de l'univers. »

E. Prière en commun

Jésus a promis : « Je vous assure que si deux d'entre vous se mettent d'accord sur cette terre pour demander quelque chose, n'importe quoi, ils l'obtiendront de mon Père qui est dans les cieux. Car là où deux ou trois sont réunis en mon Nom, je suis là au milieu d'eux» (Matthieu, 18, 19-20).

Dieu a donné un pouvoir spécial à l'oraison communautaire. Et nous en avons largement fait l'expérience dans notre ministère. C'est pourquoi nous aimons tant prier en communauté. Là le discernement s'enrichit, car on peut avoir une vision, un autre un message, celui-là une parole de science et tous nous prions en langues. Inutile de dire que le moment communautaire par excellence est celui de la célébration Eucharistique, là les guérisons se multiplient. Malheureusement il y a des gens qui ont de mauvaises habitudes, après une prière communautaire, ils veulent qu'on prie en privé pour eux. Nous nous y refusons généralement car cela signifierait que la prière que nous venons de faire n'a pas eu de valeur. En résumant mon ministère, je peux dire qu'il existe une énorme différence entre une prière communautaire et la prière personnelle pour chaque malade. Bien sûr, dans les retraites que j'ai prêchées depuis dix ans il y a eu des guérisons physiques dans l'une et l'autre, mais dans la prière de guérison intérieure, il y a plus de fruits que dans la prière individuelle. Mais c'est toujours une communauté qui prie pour une personne.

En conclusion, je pense que peu de personnes ont le don de guérison, mais que beaucoup de communautés ont ce charisme. D'une campagne voisine vinrent quinze personnes à l'une des deux réunions de prière de Pimentel. Elles venaient en chantant, louant Dieu et priant le chapelet. C'était un pèlerinage et leur prière se prolongea pendant tout le chemin.

En retournant chez elles, elles partagèrent ce que le Seigneur avait fait et se rendirent compte que toutes les quinze avaient été guéries de quelque chose. Alors elles donnaient des témoignages toutes ensemble.

J'attends avec impatience le jour où l'on pourra affirmer comme dans l'Évangile : tous ont été guéris.

F. Prière du malade

Il faut aussi que le malade prie. Il est trop facile de demander la prière des autres sans se fatiguer, de laver son linge sale ailleurs, pendant que l'on ne s'occupe de rien. Ces personnes cherchent un soulagement rapide et commode, sans effort de leur part. La guérison profonde n'a lieu que dans la mesure où nous sommes en communion permanente avec le Dieu qui purifie et sanctifie. Que de merveilles nous voyons dans les personnes qui prient ! Si nous croyions dans le pouvoir de la prière nous serions plus disposés à la faire et nous lui donnerions priorité sur toute autre activité. Beaucoup disent que l'on perd son temps à prier car on ne fait rien. Mais ils ne se rendent pas compte que le plus important n'est pas ce que nous faisons mais ce que Dieu fait en nous pendant la prière.

Une personne de notre pays nous assaillait toujours, en tout temps, en tout lieu, pour que nous priions pour elle. Quand je la rencontrais dans la rue je l'évitais tellement elle insistait. Un jour quelqu'un vint des États-Unis pour prêcher une retraite. À la fin de la conférence, comme d'habitude la dame s'approcha de lui et lui demanda de prier pour elle. Alors cette personne se mit en présence de Dieu et sentit une voix intérieure qui lui disait « Ne prie pas pour elle, dis-lui qu'elle prie, elle, car elle ne cesse de fatiguer mes serviteurs. »

Ce cas est bien différent de celui qui advint au Congo: lors de la messe de clôture de Brazzaville, le Seigneur fit beaucoup de guérisons merveilleuses. Tandis que le soleil se cachait, les gens sortaient aussi heureux que s'ils eussent descendu le Mont Sinaï après avoir vu la Gloire de Dieu. Après que tout le monde eut abandonné le stade en louant Dieu, le gardien fermait les portes et éteignait les lumières. Dans les gradins vides une femme était restée avec son petit garçon de six ans, assis entre ses béquilles. Le gardien lui dit : « Madame allez-vous-en tout est fini et je vais fermer les portes ».

— « Non, je ne veux pas partir, mon fils n'est pas encore guéri. Je vais continuer à prier». Le tableau était si émouvant que le gardien lui permit de rester un peu plus. Elle resta en prière deux heures encore. À 8 h 15 du soir, le petit se leva lui-même et commença à marcher sans béquilles dans la lumière de la lune qui avec sa pâleur argentée rendait la scène plus belle et plus tendre :

— « C'était la persévérance dans la prière dont nous parle l'Évangile (Luc 11, 5-8)».

G. Intercession de Marie

Dans le ministère de guérison, nous ne pouvons pas oublier le pouvoir d'intercession de Marie. Nous savons qu'elle ne guérit personne mais qu'elle peut intercéder pour que nous ayons le vin qui manque dans nos vies comme à Cana. Le témoignage suivant fut raconté personnellement par quelqu'un qui fait partie de notre communauté : — « Un jour j'allai voir le gynécologue car j'avais quelques ennuis. Il me dit qu'il fallait m'opérer et comme j'hésitais il me dit : — « Ta maladie est progressive, je sais que tu as une grande foi, je vais donc te donner un an pour prier le Seigneur et lui demander de te guérir comme tu dis qu'il le fait, si tu ne guéris pas, il faudra t'opérer». Moi j'acceptai le défi car je sais que le Seigneur fait des merveilles. Quelques jours après le père Émilien Tardif nous invita mon époux et moi à organiser une retraite à Chicago. Bien que je me sentais très mal, je ne dis rien car j'étais sûre que le pouvoir de Dieu m'aiderait à proclamer sa parole. À Chicago je me sentis mal. Mon mari et le père Tardif prièrent pour moi mais l'hémorragie continuait. Alors ils m'emenèrent chez un célèbre chirurgien de la ville qui confirma la nécessité de l'opération. Devant l'impossibilité de la faire car j'étais loin de chez moi, il ne nous prescrit que quelques médicaments que, grâce à Dieu, je ne pris pas, car au dire du médecin que je vis ensuite, ils m'auraient fait du mal. Nous poursuivîmes notre voyage d'Évangélisation à travers le Canada et mon état s'aggrava. Je vis donc un second docteur qui ne s'expliquait pas comment, étant si faible, je pouvais être aussi contente ; il voulut me faire rentrer à l'hôpital mais moi j'avais foi en Dieu mon Seigneur et nous allâmes à la session qui commençait ce jour-là. À la fin de celle-ci l'hémorragie avait empiré. Alors nous allâmes au sanctuaire de Notre-Dame-du-Cap et tandis que mon époux et le père Tardif priaient pour moi, je dis à la Vierge Marie : — « Mère très sainte je t'aime et m'abandonne à tes soins maternels. J'ai honte devant ton fils Jésus car la foi m'a manqué pour lui rendre grâce car il me guérit. Toi, demande-lui de me faire grandir dans la foi de la guérison que me donne ton Fils. »

J'abandonnais complètement mes problèmes entre les mains de Marie pour qu'elle se charge d'eux devant Jésus. De retour à St-Domingue le Père Tardif me demanda si je prenais le médicament prescrit par le docteur canadien. Je lui répondis que je les avais oubliés, mais j'en rendais grâce à Dieu car ainsi sa gloire se manifestait plus clairement. Comme je me sentais admirablement bien, je ne revis mon gynécologue que six mois plus tard. Il me reçut avec un peu d'agressivité en disant — « Si tu crois que tu vas guérir en prêchant... prêcher ne guérit pas, tu te trompes ».

Moi j'étais en paix car je savais que le Seigneur avait déjà fait des merveilles dans ma vie. Ensuite il m'examina et me dit avec surprise : — « Yolande, c'est vrai, le Seigneur guérit. Tu es en parfait état. Le Seigneur a fait l'opération que j'allais te faire. Comme il t'aime ! »

— « Docteur, Il t'aime aussi, lui aussi veut faire une opération dans ton cœur pour te guérir et que tu deviennes un homme nouveau, que tu puisses crier et proclamer que Jésus est vivant et guérit pour la Gloire du Père ».

Aussi, comme la femme atteinte d'un flux de sang qui toucha le manteau de Jésus et fut guérie, Yolande s'approcha du vêtement de Jésus qui s'appelle Marie, la toucha et guérit. Jésus s'est revêtu de la chair de Marie. Elle est comme le manteau qui guérit tous ceux qui le touchent avec foi (Marc 6,56). C'est elle qui a le plus grand charisme de guérison. Surtout dans la prière de libération, nous avons constaté le pouvoir de la prière de Marie pour que Jésus brise les chaînes qui rendent esclaves les opprimés par le péché ou par quelque oppression ou obsession de l'Ennemi. Dans plusieurs cas nous avons vu comment le chapelet a été très efficace. Yolande raconte un autre témoignage: — « Un jour on amena à notre boutique un homme qui souffrait d'une oppression; il faisait des bruits étranges et était devenu sourd-muet. De plus cela faisait huit jours qu'il ne mangeait plus. Face à la gravité du cas, je répondis que mon époux n'était pas là et lui dis de revenir. De la sorte j'échappais à une prière très difficile dont je ne me sentais pas capable.

Cependant à ce moment-là, j'entendis une voix intérieure qui me demanda:

— « Yolande, c'est toi qui guéris ou Moi ?» Alors je demandai pardon au Seigneur et reconnus que Lui seul guérissait. Aussi nous commençâmes la prière. Cet homme s'agenouilla et dès que je mis mes mains sur lui, il commença à crier et saisit mes deux mains avec force. Moi j'étais très impressionnée et ne savais ni comment faire ni comment parler. La seule chose qui jaillit de mon cœur fut la prière de l'Ave Maria. Dès que je commençai l'homme perdit sa force et quand j'arrivai au « Tu es bénie entre toutes les femmes » il priait avec moi. À la fin il était en paix et dit simplement « Donnez-moi à manger ».

Que la Vierge Marie peut intercéder efficacement devant son Fils avec la force de l'amour, nous l'avons appris et constaté plus par l'expérience que par la théologie.

H. Abandon

Nous prions mais nous ne pouvons forcer la main de Dieu. Il peut avoir un plan beaucoup plus beau que le nôtre (Ephésiens 3,20). Lui peut nous guérir et nous donner la guérison complète: la rencontre définitive dans la vie éternelle, là où il n'y a ni larmes, ni deuil, ni mort. C'est pourquoi l'attitude de l'abandon confiant entre les mains du Père est fondamentale. Cet abandon est déjà en lui-même une grâce immense. Qui s'abandonne à Dieu recouvre la paix profonde que le monde ne peut donner. Je recommande la prière du Père Charles de Foucauld:

«Père,
Je me remets entre tes mains,
fais de moi selon ta volonté
quelle qu'elle soit.
Je te rends grâce.
Je suis disposé à tout.
J'accepte tout
pourvu que ta volonté
s'accomplisse en moi
et en toutes tes créatures.
Je ne désire rien d'autre, Père.
Je te confie mon âme
Je te la donne
avec tout l'amour dont je suis capable
car je t'aime
et j'ai besoin de me donner à Toi
de me remettre entre tes mains
sans limite
sans mesure
avec une confiance infinie
car tu es mon Père.»

Cet abandon accompagné de la louange obtient des guérisons physiques et intérieures que nous n'imaginons même pas. La prière qui montre le plus l'abandon et la foi n'est pas celle de demande mais de louange. Louer le Seigneur toujours et partout. Il y a des milliers de personnes qui donnent le témoignage dans leur vie de ce pouvoir de la louange. Ce que l'on n'obtient pas en le demandant on l'obtient toujours en louant.

De nombreuses personnes qui ont demandé, prié et supplié pour leur guérison ne l'obtiennent que lorsqu'elles s'abandonnent sans condition entre les mains du Père miséricordieux. Voici un témoignage :

— « Je souffrais depuis quatre ans d'un ulcère mais à la fin du mois de juin 1981 je dus aller d'urgence à l'hôpital car il s'était perforé et j'avais une hémorragie sévère. Trois jours après je sortis de l'hôpital. Un gastro-entérologue me donna des médicaments, un régime avec un horaire fixe pour mes repas. Je prenais mes médicaments mais comme je devais voyager souvent pour prêcher la Parole de Dieu je ne puis suivre le régime. À cause de cela, un an après, le même problème se présenta. J'entrai à l'hôpital et on me fit une endoscopie le 26 mai 1981. On découvrit quatre ulcères prépiloriques et un ulcère duodénal, une gastrite et une hernie hiatale. Le docteur me dit que j'avais besoin d'une opération et que je réserve une semaine pour l'intervention chirurgicale car il préférait le faire dans le calme plutôt qu'en urgence. Je sortis de l'hôpital mais à minuit l'hémorragie revint. Alors j'étais soucieux, craignant devoir revenir à l'hôpital pour l'opération. Cependant mon problème était plus profond : c'était celui de la foi. J'étais un peu triste et presque un peu déçu du Seigneur. J'avoue que je me sentais un peu abandonné par Lui. Au lieu de prier, je commençai à réclamer en disant : — « Seigneur, vraiment je ne te comprends pas. Tu sais qu'à cause de mes voyages dans les différentes villes et les différents pays pour prêcher ta Parole, je ne peux faire le régime adéquat. Tu sais que dans les retraites et les sessions on n'a pas toujours le temps de manger. Tu sais que je ne peux pas faire tout ce que le docteur demande et Toi qui peux me guérir pour que je continue à prêcher ta Parole, regarde comme tu me traites. ».

Alors j'entendis clairement la voix du Seigneur qui me disait :

— « Pourquoi crains-tu la nuit qui te mène au nouveau jour ? »

Cette parole fut l'Esprit et la Vie pour moi. Je crus dans le Seigneur et me livrai sans conditions au plan qu'il a sur ma vie jusqu'à ma mort. Peu m'importait d'être guéri, seule comptait sa volonté sur moi.

Advienne que pourra, moi j'étais entre ses mains et je dépendais de lui. Je lui signai un chèque en blanc pour qu'il fasse de moi ce qu'il voulait. Son chemin était infiniment meilleur que le mien. Il faisait nuit, mais je savais avec la certitude de la foi que le petit matin qui annonce la nouvelle création m'attendait. Alors je me recouchai et m'endormis dans une paix complète. À ce moment-là je savais que j'avais fait quelque chose de ma vie. Quelques semaines après je me sentais si bien que j'abandonnai le médicament et ne me souciai plus du régime. Six mois plus tard j'allais organiser une retraite à Houston. Je me souvins que le Seigneur me demanda l'acte de foi de voyager sans un centime, dans son entière dépendance. Moi je résistai car je voulais profiter de l'occasion pour me faire faire un examen approfondi de l'estomac. Cependant le Seigneur fut plus fort que moi et je m'abandonnai profondément à ses promesses.

De la façon la plus incroyable il pourvut à tous les frais de mon séjour et de mes analyses au centre de Gastroentérologie. Enfin le médecin me dit ce que je savais: — « Vous n'avez pas besoin d'opération. Les ulcères sont cicatrisés ».

Je revins heureux à Mexico constatant une fois encore qu'à celui qui s'abandonne au Père d'Amour rien ne manque. Il y a de cela deux ans. Je me sens parfaitement bien. Je n'ai besoin d'aucun médicament et aucun aliment ne me fait mal.

I. Prier en langues

La prière en langues est merveilleuse. Comme nous ne savons pas prier comme il le faut « L'Esprit Saint vient à l'aide de notre faiblesse pour intercéder pour nous en des gémissements ineffables » (Romains 8,26).

Ce n'est ni le temps ni le lieu de vouloir justifier le don des langues.

C'est une réalité dans l'Église d'aujourd'hui. Je veux simplement faire part de mon expérience: j'ai vu beaucoup plus de guérisons en priant en langues qu'en priant normalement.

Un jour on m'invita à une émission de télévision à Bogota en Colombie, en me demandant de prier pour les malades. Curieusement l'émission ne durait qu'une minute, c'est pourquoi elle s'appelait la « minute de Dieu». Cela me semblait trop peu et je réclamai en disant: « Vous passez 3 minutes de publicité sur les bières et ne donnez qu'une minute au Seigneur...» Je commençai l'émission si pressé par le temps que je priai très vite. En terminant, j'ouvris les yeux et regardai ma montre, il me restait encore trente secondes. Mon problème alors était de savoir quoi faire de ce temps « énorme». Je priai en langues face aux caméras de télévision. Selon le Père Diego Jaramillo, grand prêcheur charismatique, de nombreuses personnes furent guéries à cette occasion. La prière en langues facilite les paroles de science et le discernement charismatique. C'est quand nous sommes le plus disponibles que le Seigneur se sert de nous, car nous lui sommes complètement livrés. Dans la seconde rencontre charismatique de Montréal on me demanda de prier pour les malades. Il y avait 55 000 personnes à l'Eucharistie qui était transmise à la télévision. Je priai beaucoup en langues et des paroles de science m'arrivaient que je transmettais telles quelles. L'une d'elles disait: « Il y a une mère de 74 ans qui est assise devant sa télévision chez elle. En ce moment le Seigneur la guérit de sa cécité».

À la fin de la messe un prêtre qui avait confiance en moi, s'approcha et me dit: — « N'es-tu pas fou ? Comment peux-tu annoncer devant 55 000 personnes qu'une personne aveugle est devant sa télévision ?». Son objection était si logique que je ne pus lui répondre. Mais le lendemain j'allais rendre visite à ma famille à 200 kilomètres de Montréal. Quand j'arrivai quelqu'un me dit : — « Père, près d'ici vit la dame dont les yeux ont été guéris devant la télévision. Moi, j'étais si content que j'allai lui rendre visite. Elle s'appelait Mme Joseph Edmond Poulin et avait vraiment 74 ans. Elle était tombée malade de la rétine. Après un traitement spécialisé, les médecins affirmèrent que sa maladie était progressive et incurable. Une amie lui suggéra de se placer devant son téléviseur pendant la Messe de guérison du Congrès de Montréal. Quand je dis la parole de science, elle sentit une grande chaleur dans ses yeux.

Je lui demandai si elle pouvait lire. Elle répondit que non. Alors j'ajoutai :

— « Le Seigneur ne fait pas les choses à moitié. Nous allons prier pour que vous puissiez lire la Parole de Dieu». Trois jours après elle me téléphona pour me dire une bonne nouvelle : elle lisait la bible.

Le don des langues m'avait préparé à communiquer de la part du Seigneur ce qu'il était en train de faire.

J. Renoncement à Satan

Quand on dépend du pouvoir des ténèbres on bloque l'action salvatrice de Dieu. C'est pourquoi il faut renoncer explicitement à tout occultisme ou ésotérisme, magie, horoscope et à tout autre type de divination et superstitions. On ne peut servir deux maîtres ni appartenir aux deux à la fois. On est avec le Christ ou contre Lui. Avec Lui on amasse, ou contre Lui on gaspille.

Tel est le point que je considère comme essentiel car par le pouvoir des ténèbres aussi on obtient des guérisons. Pour éviter la confusion il est absolument nécessaire de renoncer à tout contact avec les sciences occultes, amulettes, spiritisme et sortilèges et tout ce qui usurpe le rôle de Dieu.

VIII

CINQ LETTRES

Dans ce dernier chapitre, nous citons des paragraphes de nos dernières lettres circulaires à nos familles et amis dans lesquelles nous offrons une idée générale de notre ministère pendant ces trois dernières années.

Sanchez 30 décembre 1980,

Chers frères et amis, je veux vous raconter quelques épisodes de mon voyage en Afrique, au Cameroun et au Sénégal. Je suis parti de Saint-Domingue le 4 décembre. Après 18 heures de vol, j'arrivai très fatigué au Cameroun, à sept heures du soir. La seule chose que je désirais c'était de me reposer dans un lit mais une « agréable surprise » m'attendait à l'aéroport. Alors que je présentais mon passeport, on me dit qu'il y manquait le visa. Moi je dis qu'à Saint-Domingue on m'avait assuré qu'un Canadien n'en avait pas besoin pour entrer au Cameroun. J'insistais mais mes arguments ne comptaient pas car le changement de loi était récent. On me répondit tout simplement: — « Vous ne pouvez pas sortir aujourd'hui de l'aéroport. Vous y passerez la nuit et demain vous devrez entrer en Suisse pour obtenir votre visa et alors vous pourrez revenir ». Mais la Suisse était à sept heures d'avion.

Un couple français était dans la même situation. Eux ils étaient tranquilles et sûrs d'entrer dans le pays car ils disaient avoir contacté l'ambassade de France. Moi je priai le Seigneur et je lui dis : — « Je n'ai personne à contacter que toi. Si c'est toi qui as prévu ces retraites au Cameroun Tu vas m'ouvrir les portes. Mais si cela ne vient pas de Toi je n'ai plus à entrer ici. Je dépose tout entre tes mains». Je priai un moment en langues. Et on mit un policier grand et fort auprès de moi, comme si je pouvais m'échapper pour aller quelque part. Je pensai si je ne peux pas évangéliser le Cameroun du moins vais-je évangéliser ce policier musulman et je commençai à parler de Jésus et de ses merveilles. Après minuit le policier avait plus sommeil que moi. Sur ce arriva un message téléphonique avec ordre de me laisser entrer dans le pays. Un frère s'était débrouillé par tous les moyens pour m'obtenir un visa de quinze jours. J'allai me reposer dans mon lit. Le lendemain je revins à l'aéroport pour prendre un autre avion. Les Français étaient encore là, le visage triste et très fatigués car ils n'avaient pas dormi. Ils ne pouvaient entrer dans le pays et devaient retourner à Paris. Alors j'en profitai pour leur dire:

— « Moi je n'ai pas mis mon affaire entre des mains d'hommes mais entre celles de Dieu et j'ai pu entrer. Notre Dieu est plus puissant que l'ambassade française.»

Cette première expérience d'évangélisation en Afrique a été très belle. Je croyais être en République dominicaine. Les visages des gens étaient simples et joyeux, les personnes sympathiques et ouvertes. C'était le même climat, le même paysage et le même Dieu agissant avec ses merveilles. Le samedi soir nous célébrâmes la Messe pour les malades et Dieu a commencé à répéter les signes et les miracles de Pimentel en 1975. Nous vîmes beaucoup de guérisons surprenantes. Parmi elles celle d'une petite fille de cinq ans qui ne marchait pas et grâce à Dieu elle put le faire à partir de ce moment. Le lendemain à la messe de la cathédrale, j'invitai la mère de cette enfant à donner son témoignage devant la grande assemblée. Ensuite nous lui demandâmes de faire marcher l'enfant devant tous, face à l'autel. La petite le fit à la vue de tous qui pleuraient et louaient notre Dieu. Il y eut une tempête d'applaudissements dans la cathédrale. Jésus était vivant en Afrique. Pendant la retraite la plus grande bénédiction que je vis fut celle d'un missionnaire qui avait décidé d'abandonner son ministère pour se marier. Quelques amis l'invitèrent à la retraite avant qu'il prenne sa décision finale. Il accepta et le Seigneur le repêcha. Il donna de nouveau son cœur au Seigneur et réaffirma sa volonté de le suivre dans son ministère sacerdotal. La retraite s'acheva par une messe en plein air avec plus de trois mille personnes. Il y avait trente-huit prêtres qui concélébraient l'Eucharistie et le Seigneur accompagna à nouveau la proclamation de la Parole avec des signes et des prodiges. À travers une parole de science, le Seigneur nous dit : — « Il y a ici un jeune homme de seize ans sourd de l'oreille gauche que le Seigneur guérit». Naturellement il n'entendit pas ce message puisqu'il était sourd mais cela n'empêcha pas le Seigneur d'agir.

À la fin de la messe, un jeune homme s'approcha de l'autel en disant qu'il était sourd et qu'il avait seize ans. Le Seigneur venait de le guérir. Tous louaient le Seigneur. Le lendemain continuèrent les prodiges dans la cathédrale de Yaoundé. Une employée de banque qui était myope depuis trois ans fut guérie par le Seigneur. Le lendemain elle racontait à tous ses compagnons de travail le miracle du Seigneur. Comme ils la connaissaient avec ses gros verres, et qu'elle ne les utilisait plus, ils allèrent tous à la Messe ce jour-là. Il y avait plus de 3000 personnes. Alors nous dûmes mettre l'autel dehors car les gens ne tenaient pas dans la cathédrale. Pendant la célébration de la Cène du Seigneur, une petite fille fut guérie de son bras gauche paralysé. Un policier tomba dans le repos dans l'Esprit et fut guéri de la colonne. La mère supérieure d'une communauté africaine fit aussi l'expérience du repos dans l'Esprit et fut guérie d'un ulcère. Les guérisons furent si nombreuses, qu'il serait impossible de les énumérer toutes. En quelques jours nous avions revu tous les signes qui identifient Jésus comme Messie : les aveugles voient, les boiteux marchent, les sourds entendent et les pauvres sont évangélisés. Ensuite je partis pour le Sénégal où des douzaines de guérisons vinrent rappeler à ce peuple que Jésus est vivant. Un missionnaire du Sacré Cœur, en voyant une si grande merveille et la réponse si enthousiaste des gens nous disait : — « Voilà ce dont nous avions précisément besoin ici. Je savais que le Seigneur viendrait ainsi parmi nous, car quand les musulmans voient que Jésus fait des miracles, ils croient qu'il est vivant et qu'il est plus qu'un simple prophète. C'est ce dont nous avions besoin ici... et il ne cessait de répéter cela, à propos des guérisons qui avaient fait germer et croître la Foi des gens. Mais dans quel pays du monde ces miracles ne sont-ils pas nécessaires ? Je n'en vois pas une seule dans le monde. Le préfet de Sangmelima qui était protestant, vint personnellement me dire au revoir et me remercier pour la guérison de son épouse qui était malade du foie et de celle de sa sœur qui avait une mauvaise circulation. Il était très ému et avait un petit cadeau en souvenir de mon passage à Sangmelima ; c'était une authentique défense d'éléphant. Dans ma valise elle ne tenait pas, alors je l'enveloppai à part et continuai mon voyage. Cependant je dus payer un supplément pour mes bagages à cause de cette défense qui pesait beaucoup. Je faillis l'oublier en sortant de l'avion. Dans une main je portais ma petite valise et dans l'autre le « petit cadeau » qui commençait à être très gênant et coûteux. En arrivant à ma nouvelle destination une personne experte en la matière admira une pièce aussi fine et me dit : — « Père, cette défense est d'un grand prix. J'espère que vous n'aurez pas de problèmes à l'aéroport car ils sont très stricts avec le trafic de l'ivoire. » Alors ma vie changea, je dus acheter une valise spéciale que je gardais avec plus de soins que la mienne. J'avais de plus en plus de problèmes dans les aéroports, je devais payer une taxe de bagages en partant et en arrivant, il me fallait prier ainsi : —« Seigneur je suis témoin de ce que tu ouvres les yeux des aveugles. Maintenant ferme ceux de ces messieurs pour qu'ils ne voient pas la défense. Tu sais que c'est un «petit cadeau». Quand je logeais dans une maison il fallait que je garde et cache cette «sacrée» défense, sous mon lit souvent. En rentrant de mes prédications, la première chose que je faisais c'était de me pencher pour chercher ma défense d'éléphant. Quelquefois je la contemplais quelques secondes, la caressais et la rangeais précieusement. Un jour j'étais en prière quand soudain, je commençais à penser à la précieuse défense et aux soucis et angoisses qu'elle m'avait apportés depuis que je voyageais avec elle. Alors je m'exclamai à voix haute: — «Seigneur comme tu avais raison de dire "Bienheureux les pauvres" car quand je n'avais pas la défense d'éléphant je n'avais pas de problèmes. Je me levai et offris la défense, et la paix revint immédiatement dans mon cœur. Les soucis disparurent ainsi que les taxes de surcharge et même les distractions pendant la prière. Grâce à cela, j'ai appris que les défenses d'éléphant s'appellent pouvoir, argent, gloire, choses matérielles, et qu'elles sont toujours source d'esclavage. Le pire c'est que nous nous prosternons devant cela et que cela nous éloigne du véritable Dieu. Comme ces défenses sont gênantes. Comme nous en payons des taxes de surcharge à cause d'elles!» Comme elles sont pesantes surtout quand en plus des défenses c'est l'éléphant entier que nous portons. Nous qui mettons notre confiance dans le Seigneur n'avons pas besoin de biens matériels, voilà ce que le Seigneur m'avait montré, Lui le Maître de toutes choses. Mon billet pour le Cameroun et le Senegal coûta 1,780 $ dollars. Comme c'était très cher pour ces pays pauvres, je les priai de ne rien me donner pour mon travail. Ils ne payèrent que mon billet à eux tous, soit 1,800 $. Un prêtre qui sut cela dit: «Ce n'est pas juste, tu as travaillé intensément et on ne te donne que 20 dollars. Cela fait moins d'un dollar par jour». «Ne t'inquiète pas, lui dis-je, le Seigneur nous le rend au centuple.» En rentrant dans ma paroisse, une montagne de lettres m'attendait. L'une d'elle disait: «Nous avons pensé t'envoyer un petit cadeau pour l'évangélisation». Le mot petit cadeau me rappelait la défense d'éléphant et je lâchai la lettre effrayé. C'était un beau chèque de 2,000 $. Exactement le centuple. J'en ai eu le frisson. Je ne savais pas que Jésus calculait si juste. Il est vrai qu'il est un bon juif, et il s'y connaît en finances.

La Romana, 10 décembre 1981,

Dimanche dernier, fête du Christ Roi, nous avons célébré à St-Domingue notre second congrès charismatique national. 42000 personnes représentaient 1500 groupes de prières de la République Dominicaine ; elles remplirent le stade olympique de la capitale le 22 novembre dans une grande manifestation de foi en l'honneur du Christ Roi. Le thème du congrès était «Jésus Christ, Roi de l'univers». Ce fut extraordinaire. Dès 9 heures du matin jusqu'à 6 heures du soir, sous un ciel bleu, dans une atmosphère de fête, nous chantâmes, priâmes, écoutâmes les conférences en savourant l'amour de Dieu notre Père. À onze heures du matin, c'était mon tour de parler de «Jésus est vivant» et aussitôt avec toute mon équipe je fis une prière de guérison pour tous les malades qui étaient venus en grand nombre de tout le pays. Le Seigneur nous bénit particulièrement. À 14 h 30 à l'heure des témoignages, il y en eut beaucoup. Entre autres celui d'un homme qui était venu avec beaucoup de difficultés au Congrès et qui y reçut une guérison complète. À cause de son cœur, il était paralysé du côté gauche et ne pouvait marcher sans béquilles. À 14 h 30 il monta à la tribune tout seul, en marchant sans ses béquilles, avec des sanglots dans la voix, il remerciait le Seigneur qui venait de le guérir. Le jour de notre congrès charismatique national, notre nouvel archevêque Monseigneur Nicolas de Jésus Lopez dit une superbe conférence sur le Renouveau Charismatique dans le monde d'aujourd'hui. Les quelques prêtres qui luttaient encore férocement contre le renouveau dans l'archidiocèse semblèrent gênés par la position si ferme et si franche de notre nouvel archevêque. Gloire au Seigneur! J'ai maintenant la grande joie de vous annoncer que je ne suis plus le curé de Sanchez, c'est une joie car je n'arrivais pas à être curé et à prêcher des retraites dans le monde entier. J'ai été libéré de ma tâche en avril dernier et maintenant je suis prédicateur à temps plein et résidant de notre paroisse de la Romana dont le Père Dumas est le curé. Le Père André était seul pour 30 000 habitants. De retour de mes voyages je l'aide un peu, et cela est bon pour moi, car il faut mêler le travail paroissial et les retraites. Cette année j'ai été témoin du Christ ressuscité dans les cinq continents. En omettant mille choses importantes, je veux vous parler de ce qui suit :

Après les conférences œcuméniques en Suisse, j'allai à Lisieux, Marseilles et Paray-le'-mondial. Ensuite je revins en République Dominicaine pour me rendre à une retraite sacerdotale à la Ceja, en Colombie et finalement à la retraite de Monterrey, au Mexique où m'advint un curieux incident. Mon passeport n'était plus valable, je l'envoyai à l'ambassade canadienne de Caracas au Venezuela pour le renouveler. Le jour de mon départ pour le Mexique approchait et mon passeport ne revenait pas. La veille je téléphonai à Caracas où l'on me répondit qu'on me l'avait envoyé. Nous ne pouvions rien faire d'autre qu'attendre avec patience qu'il me revienne. L'après-midi on me téléphona de Monterrey au Mexique en me demandant le numéro et l'heure de mon vol. Moi je répondis que mon équipe viendrait sans moi car je n'avais pas mon passeport. Tous furent consternés car tout était prêt pour accueillir 14 000 personnes. Ils me promirent de passer la nuit en prière en confiant cela au Seigneur.

Le lendemain je sortis de la République Dominicaine sans passeport, je parlai au chef de l'émigration lui affirmant qu'un Canadien pouvait entrer aux États-Unis avec un permis de conduire (l'avion faisait escale à Miami avant d'arriver à Mexico). Il me répondit — « Si la compagnie Eastern prend le risque de vous prendre à bord, moi je vous laisse partir». Je parlai à l'employé de la Eastern Air Lines, il me dit: — «Si l'émigration en prend le risque nous vous prenons à bord». Moi je priai alors en disant: — «Seigneur c'est donc toi qui prends tous les risques...» et je pris l'avion pour Miami. En y arrivant tout le monde montrait son passeport, son visa et sa carte d'immigration. Moi je donnai seulement mon permis de conduire. Le policier de contrôle me demanda:

— «Qu'est-ce que c'est que ça?»

— «Mon permis, c'est tout ce que j'ai. Un Canadien peut entrer aux États-Unis avec ça». Il me prit en pitié et me laissa partir. En prenant le vol de correspondance pour Mexico, l'officier de l'émigration connaissait les lois et me dit très en colère:

— «Vous ne pouvez aller au Mexique ni ailleurs avec ça, vous ne pouvez même pas rester à Miami. Cela ne sert à rien. N'importe qui peut obtenir son permis au Canada et cela ne signifie pas qu'il soit Canadien. On entre aux États-Unis avec une carte d'identité et pas avec un permis. On ne vous laissera jamais entrer au Mexique. On va vous renvoyer. Moi, je m'étais trompé, j'avais confondu permis de conduire et carte d'identité. Grâce à Dieu, je pus partir, mais en arrivant au Mexique un autre problème, non moins grave se présentait alors. Alors je priai: — «Seigneur ferme les yeux de cet homme pour qu'il ne voie pas ce qui me manque». Le policier de contrôle était en train de prendre le café, distrait il parlait avec son compagnon...

Il ne regarda pas le papier que je lui remis. Il apposa le tampon et j'entrai dans le pays. Le Seigneur qui ferma les yeux de l'employé de l'émigration ouvrit ceux d'une dame qui était aveugle depuis 5 ans. Jésus est le maître de l'impossible. Après la retraite de Monterrey, nous célébrâmes une Messe pour les malades, dans un sanctuaire en plein air; l'autel était au milieu de 6 000 personnes trempées par une pluie continuelle. Après la communion, le Seigneur guérit un homme qui avait perdu l'usage de la parole depuis quelques années à la suite d'une congestion cérébrale. Le Seigneur libéra sa langue et il criait : « Gloire à Dieu, Gloire à Dieu ». Il y eut une grande stupéfaction parmi ceux qui le connaissaient et ils l'amenèrent au micro pour qu'il témoigne. Alors deux boiteux se levèrent et commencèrent à marcher. L'un d'eux vint donner son témoignage au micro tandis que le curé pleurait. De nombreux prêtres qui concélébraient avec nous se laissaient émouvoir et pleuraient. Moi, je riais et je criais : « Jésus est vivant, vous le voyez ». Voilà le résumé de quelques-unes de mes activités de l'année. Vous allez me dire que je ne vous parle que de retraites. Mais c'est là qu'est mon cœur, là qu'est ma vocation : prêcher partout l'amour et la miséricorde du Cœur de Jésus.

La Romana, 10 Décembre 1982

Chers parents et amis,

J'espère que vous êtes tous en bonne santé, remplis de la joie du Seigneur. Moi, je n'ai jamais eu une aussi bonne santé et je suis heureux de la mettre au service de l'Évangélisation car c'est la santé que le Seigneur m'a rendue il y a 10 ans. J'ai même pensé écrire un petit livre de témoignage dans lequel je raconterais ce que j'ai vu durant 10 années d'apostolat dans le Renouveau. Je ne sais pas si j'aurai le temps de le faire, mais l'idée me revient très souvent. J'essaierai de l'écrire et il pourrait avoir pour titre : « Jésus a fait de moi un témoin ».

À la fin novembre, je suis revenu de Polynésie française, ce dernier voyage a été un des plus beaux de ma vie. Je n'avais jamais vu un peuple aussi sympathique et aussi accueillant à la Parole de Dieu. Là-bas, j'ai vécu un temps d'Évangélisation plein de joie et de bénédictions de tous genres.

Pour vous donner une petite idée de l'accueil des gens, je vous dirai seulement que quand j'arrivai à l'aéroport de Tahiti à 2 heures du matin, après 16 heures d'avion depuis St-Domingue (il y a deux fois plus de kilomètres qu'entre St-Domingue et Paris) à ma grande surprise il y avait au moins 200 charismatiques à l'aéroport à cette heure ! Ils étaient venus pour me recevoir avec des colliers de fleurs, des baisers et des chants comme « Alabaré ». Ils chantaient avec tout leur cœur. Ils me mirent tellement de colliers de fleurs qu'ils m'empêchaient presque de voir. Il m'aurait fallu avoir le cou d'une girafe. Deux jours après, nous commencions le premier congrès pour les leaders du Renouveau, qui étaient venus de plusieurs îles de Polynésie Française. Dans la première retraite en français, ils étaient 220. Pour ceux qui venaient des îles plus éloignées, un voyage de 3 jours de bateau était nécessaire pour 5 jours de retraite ! C'est là que je pus constater un grand esprit de sacrifice. Il n'est pas étonnant que nous ayons été bénis en abondance. Je vécus d'une certaine manière des événements semblables à ceux de Pimentel en 1975. Les premiers missionnaires qui étaient arrivés en Polynésie Française, à Tahiti, avaient commencé leur travail en 1834. Cette année, à l'occasion du 150e anniversaire de la mission, on prépare des retraites d'évangélisation dans tout le diocèse. Nos retraites charismatiques font partie de ce programme d'ensemble. La générosité de ces gens se manifeste de mille manières. Je n'ai jamais reçu autant de cadeaux ! 18 chemises, deux paires de chaussures, un costume bleu très élégant, etc. Quand je voulus partir, tout cela ne tenait pas dans ma valise. La communauté des catholiques chinois m'offrit une belle et grande valise, la plus belle que je n'ai jamais eue pour y mettre mes cadeaux. J'avais une surcharge de 50 livres et dans l'avion on ne me fit pas payer un sou de taxe. Je n'oublierai pas ce peuple de Tahiti ni celui des îles où je passai près d'un mois à évangéliser parmi des cœurs très ouverts à la parole de Dieu. Après avoir prêché, dans deux îles différentes et visité plusieurs communautés de religieuses, de lépreux avec lesquels je dis la Messe, après une rencontre avec des frères missionnaires, la dernière semaine, je fis une conférence par soir et célébrai la Messe en priant pour les malades. Il y avait chaque soir environ 3 000 à 5 000 personnes. À la place de l'homélie, il y avait des témoignages de personnes qui avaient été guéries les jours précédents.

Le témoignage qui m'impressionna le plus fut celui d'un homme complètement aveugle d'un œil qui voyait très peu de l'autre et allait être opéré sous peu. Pendant la Messe des malades, au moment précis de l'élévation de l'hostie, il vit une grande lumière dans l'église et ses yeux s'ouvrirent. Il était guéri !

Si, à mon arrivée, ils m'avaient couvert de fleurs, à mon départ, ils me couvrirent de colliers de coquillages. Quand je marchais avec tout cela dans l'avion, je faisais tellement de bruit que les gens riaient. J'ai partagé ces cadeaux avec les gens de ma paroisse et c'est drôle de voir dans les Caraïbes des gens avec des colliers et des chemises de Polynésie.

25 octobre 83

Chers parents et amis,

Je viens de revenir de Yougoslavie et j'ai un grand désir de vous saluer en espérant que vous êtes en paix, et dans la joie du Seigneur. Je crois que je n'ai pas le droit de me taire après avoir vu ce que j'ai vu pendant ce long voyage d'Évangélisation qui commença le 18 août et s'acheva le 15 octobre, jour de Ste-Thérèse-d'Avila.

Le 18 août, je partis pour la France pour participer à la rencontre des communautés charismatiques françaises à Ars où 4 000 personnes étaient réunies pour une semaine de prière, de réflexion et d'étude dans la joie du Seigneur. Ce fut une belle rencontre, très belle et remplie de bénédictions de toutes sortes.

De là, je partis pour la Yougoslavie. Mes compagnons de voyage étaient l'abbé Pierre Rancourt de Québec et le docteur Philippe Madre, diacre qui est le berger de la communauté charismatique de Lion de Juda en France.

Selon des témoignages et des fruits qui offrent tous des traits d'authenticité, la Vierge apparaît à Medjugorje en Yougoslavie, laissant un message de paix, de prière et de pénitence. Il est certain que la paroisse du Père Tomislav Vlasik est devenue un centre de foi et de pélerinage où ont lieu beaucoup de conversions. Nous sommes arrivés à Medjgorje avant la Messe de 7 heures du mardi. Le Père Tomislav nous invita à la concélébrer avec lui. Plus de 3000 personnes étaient réunies pour l'Eucharistie. Douze prêtres assis sur des chaises, dehors, confessaient de longues files de pénitents. C'était une nuit ordinaire. On dit que le samedi et le dimanche il y a entre 7000 et 8000 personnes depuis 2 ans.

À la fin de la Messe, le père Tomislav me dit: « Bien que la retraite ne commence pas aujourd'hui, il y a ici beaucoup de pèlerins malades; voudrais-tu organiser une prière pour eux après la Messe?» J'acceptai avec joie et un prêtre traduisait ma prière en croate. Dès cette première nuit, le Seigneur commença à guérir les malades qui donnèrent leur témoignage à la fin de la Messe. Le lendemain, il y avait au moins 8000 personnes, la nouvelle des guérisons s'était répandue rapidement. Cela commençait à intriguer les gardes de la Sécurité Nationale. Nous priâmes, le Seigneur guérit, les gens donnaient leurs témoignages. La nuit du jeudi, il y avait déjà 14000 personnes, tandis que nous étions... en prison.

Voilà ce qui advint: le matin, nous avions donné un enseignement au groupe de jeunes, priant pour le baptême dans l'Esprit, avant d'aller manger. Tous furent bénis par le Seigneur. Certains reçurent le don des langues et il y avait beaucoup de paix et de joie dans l'assemblée. Nous rentrâmes pour manger. À la fin du repas 3 agents de la Sécurité Nationale arrivèrent, nous donnant l'ordre de les suivre avec nos passeports pour un interrogatoire. Nous étions arrêtés. Nous fûmes conduits à Citluk à 7 km de là, devant un tribunal qui nous accusait d'avoir troublé la Paix de la Yougoslavie et d'avoir prêché sans l'autorisation du gouvernement. On nous enferma tous les trois dans un petit salon. J'étais alors content de ne pas m'être rendu seul en Yougoslavie. La prison était plus facile à supporter à trois. Vers cinq heures, comme il faisait très chaud, nous demandâmes un verre d'eau; on nous répondit qu'il n'y avait pas de verres. La veille nous avions jeûné au pain et à l'eau pour la Paix du Monde, comme le font les religieuses, les prêtres et le groupe de prière tous les mercredis. J'avais hâte de voir arriver le jeudi et il arriva mais avec la prison sans pain ni eau. Vers 18h15, heure du chapelet à l'église, nous nous unîmes à nos frères dans la prison et nous achevâmes par le « Salve Regina ». Un policier entra, furieux, nous donnant l'ordre de nous taire. Je ne savais pas que les prisonniers n'ont pas le droit de chanter. Je crois que notre Paix et notre joie les impressionnèrent.

Sur le mur, il y avait une grande photo du maréchal Tito. Alors je dis à Pierre Rancourt: « Prends-moi en photo car je veux avoir un souvenir de ma prison en Yougoslavie ». Moi, je souriais et désignais du doigt Tito en disant: « C'est lui le coupable ». Quand le flash fonctionna, des policiers accoururent et se mirent en colère. Ils me demandèrent l'appareil. Moi, je tremblais comme un enfant espiègle. J'ouvris l'objectif afin que la pellicule soit gâchée et me sauvai ainsi d'une situation compromettante.

Après avoir fouillé nos valises, on nous donna 24 heures pour quitter le pays sinon nous retournerions en prison. Le lendemain matin, après avoir salué prêtres et religieuses qui avaient été très aimables avec nous et attristés de nous voir expulsés de la sorte, nous partîmes en taxi pour Zadar à 350 km de là. Deux Américains pèlerins nous donnèrent 150 dollars pour nous aider à payer le taxi. À Zadar, ville touristique au bord de l'Adriatique, nous embarquâmes à 21 heures pour arriver à Rimini en Italie à 6 heures du matin. Là, nous prîmes le train pour Milan. Le soir, l'avion nous conduisit à Paris où nous sommes arrivés pour le souper. Il nous avait fallu 2 jours pour rentrer de Yougoslavie car il n'y avait pas moyen de prendre un avion ce jour-là. L'Évangile a raison quand il nous promet le centuple et des persécutions au Nom de Jésus. Dans une prochaine lettre, je vous raconterai mes aventures au Congo où nous allions célébrer le centenaire de l'Évangélisation. Soyez tous bénis.

15 Novembre 1983

Chers parents et amis,

Voici donc le récit de mon voyage en Afrique, et quelques-uns des prodiges que mes yeux y virent. Le 19 septembre dans la nuit, je partis de Paris pour l'Afrique. Je devais prêcher 15 jours au Congo et ensuite 5 jours au Zaïre (ex Congo belge). Le 20 septembre au matin, j'arrivai à Kinshasa, capitale du Zaïre. Très bien reçu par les pères jésuites surtout par le père Guy Verhaegen s.j., assesseur de la communauté charismatique de Kinshasa. Il m'avait invité à venir donner une retraite aux leaders du Renouveau. Je me reposai un peu du voyage de 8 heures d'avion et allai à l'ambassade du Congo pour solliciter mon visa. Le lendemain, mon visa à la main, j'allai en bateau de Kinshasa à Brazzaville, capitale du Congo, voyage de 10 minutes à peine. Arrivé au Congo, j'allai immédiatement à Linzolo, lieu de pèlerinage à la Vierge, à 20 km de Brazzaville. On allait faire la première retraite. Une foule de 3 500 personnes attendait en plein air cette retraite de 40 jours.

Après avoir salué le Père Ernesto Kombo S.J. qui l'avait organisée, nous commençâmes sur le thème : « La Foi dans la Parole de Dieu ». Quel spectacle que celui de milliers de personnes assises par terre, sur des nappes ou des petits sièges, attentives toutes à la Parole de Dieu. C'était une grande mission populaire en ce centenaire de l'Évangélisation et en même temps dixième anniversaire du Renouveau au Congo. Je faisais deux conférences le matin, une l'après-midi et je célébrais ensuite l'Eucharistie avec une homélie et une prière pour les malades. Le soir, nous faisions une grande réunion de prière charismatique avec toutes les manifestations de l'Esprit que le Seigneur voulait nous donner. Un soir, nous avons fait l'adoration du Saint Sacrement exposé sur l'autel en plein air, près de la grotte. De 9 heures du soir à minuit, prière spontanée, chants et prédications. Au Congo, j'ai trouvé une foi intense et profonde, une foi comme je l'ai rencontrée très rarement dans mes voyages d'Évangélisation à travers le monde.

Imaginez la Foi dont ces gens ont besoin pour rester quatre jours en retraite, au milieu de la semaine sans hôtels... Chacun s'organise comme il le peut, dormant en plein air, s'étendant sur des nappes et mangeant le contenu de son sac. Dieu, qui est le premier en terme de générosité, fit briller sa gloire en cette occasion. Le gouvernement du Congo est aux mains des marxistes depuis 8 ans. Après l'indépendance du pays, une démocratie a essayé de s'installer mais rapidement le gouvernement est tombé et le communisme a pris le pouvoir. En 1977, le président Ngouabi communiste, fut assassiné et remplacé par un autre communiste. Quatre jours après, des policiers se présentèrent à la résidence du cardinal Émile Biayenda de Brazzaville, lui ordonnant de les suivre pour avoir une entrevue avec l'autorité. Jamais plus, le peuple ne put revoir son Cardinal, berger d'âmes, qui avait des qualités extraordinaires au dire de tout le clergé. Il y a deux ans, le pape Jean-Paul II a visité le Congo et à Brazzaville, il célébra l'Eucharistie en plein air dans la joie délirante du peuple. On dit que depuis lors le gouvernement, dirigé par le colonel Denis Sassov, semble avoir amélioré ses relations avec l'Église, surtout en ce centenaire de l'Évangélisation. C'est donc en ces circonstances, que j'arrivai pour prêcher, pendant 15 jours, des retraites populaires, invité par l'actuel archevêque de Brazzaville.

Je n'ai vu en aucun pays du monde autant de guérisons qu'au Congo, durant ces retraites. Le seul pays auquel je compare le Congo, au point de vue des signes qui accompagnèrent l'Évangélisation, serait la Polynésie Française, où l'année précédente j'avais prêché trois semaines de retraite. C'était aussi un anniversaire d'Évangélisation. Mais les signes furent encore plus forts et plus prenants au Congo.

Nous lisons dans Isaïe :

« En ce jour-là, les sourds entendront les paroles du Livre, et délivrés de l'ombre et des ténèbres, les yeux des aveugles verront. Les malheureux trouveront toujours plus de joie en Yahvé, et les hommes les plus pauvres exulteront à cause du saint d'Israël»

(Isaïe 29, 18-19)

Plus loin, il affirme:

« Que le désert et la sécheresse se réjouissent, et que
la steppe fleurisse comme une rose,
on verra la gloire de Yahvé
la splendeur de notre Dieu.
Que les mains faibles s'affermissent
et que les genoux vacillants se fortifient
Dites aux cœurs éplorés:
Courage, ne craignez pas; voici votre Dieu.
Les yeux des aveugles s'ouvriront
ainsi que les oreilles des sourds.
Alors le boiteux bondira comme un cerf
et la langue du muet lancera des cris d'allégresse»
(Isaïe 35, 1-6).

En ces quelques jours, nous fûmes témoins de ces signes parmi «les plus pauvres des hommes». Le Seigneur a accompagné par toutes sortes de signes et de prodiges sa Parole de Salut. L'Évangile est vrai et efficace aujourd'hui pour que l'on croie au Seigneur. Depuis la première nuit de la retraite à Linzolo, après la prière pour les malades, une parole du Seigneur me venait fortement au cœur: «Il y a ici un homme qui souffre beaucoup de la jambe droite. Il boite et a de la peine à se tenir sur sa jambe droite. En ce moment, il ressent un fort tremblement et une grande chaleur dans cette jambe. Le Seigneur est en train de la guérir. Toi qui ressens cette guérison, aie confiance. Au nom de Jésus, lève-toi et marche».

Il y eut un long moment de silence dans l'assemblée, personne ne bougea. Comme tout le monde ne comprenait pas le français, il y avait une traduction dans le dialecte de la région (le traducteur était le père Ernesto Kombo qui m'accompagnait partout). Alors, un homme de 28 ans se leva et « bondit comme un cerf». Il avait un pied enveloppé. Il était boiteux, souffrait depuis longtemps de la jambe droite, ce qui ne lui permettait pas de travailler. Pour confirmer tout cela, il apparut face au public, le pied droit enveloppé dans un bandage; et il ne boita plus jamais. La foule applaudissait et tous louaient le Seigneur. Tous « voyaient la gloire de Yahveh » éclater, devant leurs yeux avec une pluie de bénédictions et de guérisons que le Seigneur donnait sur cette terre assoiffée par la sécheresse. Le lendemain, il y eut de nombreux témoignages. Un aveugle recouvra la vue et rendit témoignage en remerciant le Seigneur. Mais notre plus grande surprise se produisit le 2e jour quand une petite fille de 10 ans, sourde et muette de naissance fut guérie. « Les oreilles des sourds s'ouvriront... la langue des muets criera leur joie. »

Cette petite fille, sourde de naissance fut si épouvantée en entendant les chants à la fin de la messe qu'elle se mit à pousser des cris de panique en se bouchant les oreilles avec ses doigts, elle s'éloigna. Peu à peu, elle se calma, et le lendemain matin, rayonnante de joie, elle alla au presbytère avec sa mère pour nous montrer qu'elle était guérie. Nous lui disions un mot en français et elle le répétait clairement. Elle était fascinée de pouvoir répéter ce que nous disions, comme un enfant qui apprend à dire papa et maman. Cette guérison causa une grande surprise et la nouvelle se répandit jusqu'à la capitale. Beaucoup d'autres témoignages nous parvinrent après l'Eucharistie de chaque après-midi. La foule grandissait tellement qu'à la fin de la retraite il y avait au moins 5000 personnes. J'ai un souvenir inoubliable de cette première retraite à Linzolo. Mais ce n'était que le début. Le dimanche c'était la messe pour les malades dans la cathédrale. Nous dûmes la célébrer en plein air, car il y avait plus de 2000 personnes dans l'assistance. Pendant cette Messe, le Seigneur voulut un signe très clair de la vérité de sa Parole, comme il le fit quand il dit au paralytique de l'Évangile: « Pour que les hommes sachent que le Fils de l'homme a le pouvoir de pardonner les péchés, lève-toi, prends ton grabat et marche » (Luc 5, 24).

Après la prière pour les malades, un homme qui souffrait d'hémiplégie depuis 8 ans et ne pouvait se déplacer seul sentit que le Seigneur le guérissait. Une parole de science l'invita à se lever. À la stupéfaction de tous, il se leva et marcha seul jusqu'à l'autel. Là, au microphone, il remercia le Seigneur avec des sanglots et quelques paroles. Il était guéri.

Les deux jours suivants avait lieu la retraite pour les prêtres et les religieuses à Brazzaville. Deux Eucharisties devaient être célébrées dans deux églises différentes, auxquelles étaient invités tous les malades. La première fut célébrée à l'extérieur de l'église St-Pierre avec quelques milliers de personnes qui remplissaient la place. Je prêchai sur l'« Eucharistie, sacrement de guérison » et le Seigneur vint confirmer sa présence réelle dans l'Hostie consacrée en guérissant deux paralytiques : une femme de 35 ans qu'on avait amenée sur un brancard. Elle gisait sur son lit depuis 2 ans et demi. Le Seigneur la fit lever après la communion. Je l'aidai en lui donnant la main, et elle put atteindre l'autel, montant avec peine les 3 marches du podium. Là, folle de joie, elle se mit à danser devant la foule. C'était le délire dans l'assemblée. Alors, un homme paralytique, qui avait été apporté dans les bras de ses amis, se leva aussi et marcha tout seul, tranquillement avançant jusqu'à l'autel. Les guérisons de toutes sortes se multipliaient. Jésus redisait à son peuple : « Fortifiez les mais affaiblies et affermissez les genoux qui chancellent. Dîtes aux cœurs défaillants : « Ne craignez pas, voici votre Dieu. Le mardi, nous ne pouvions plus célébrer la Messe à l'intérieur des églises. Nous dûmes aller au stade de la paroisse Ste-Anne qui contenait 15 000 personnes. À trois heures de l'après-midi, le stade était plein à craquer, et il y avait plus de monde au dehors qu'en dedans. On dut fermer les portes. L'Eucharistie fut concélébrée par l'Archevêque et plusieurs prêtres. Je prêchai sur les signes que Jésus annonça aux disciples de Jean Baptiste, quand ils lui demandèrent : « es-tu le Messie ou devons-nous en attendre un autre ? » Jésus leur répondit : « Allez et dites à Jean ce que vous avez vu et entendu: les aveugles voient, les boiteux marchent, les lépreux sont guéris et les sourds entendent... et la Bonne Nouvelle est annoncée aux Pauvres» (Luc 7, 18, 23).

Après la prière pour les malades, plusieurs personnes furent touchées par les pouvoirs de l'Esprit. Le lendemain, les témoignages furent nombreux. Celui qui nous surprit le plus fut celui d'un enfant sourd-muet de naissance qui fut guéri dans le stade. Son père, professeur au collège de Brazzaville, organisa une fête avec ses amis cette nuit-là pour remercier Dieu de son miracle. Le lendemain, lui qui était inscrit au parti communiste, alla au Bureau Central, redonner sa carte du parti en disant: «Je n'ai plus besoin de cela, Dieu existe. Il a guéri mon fils». C'est à partir de ce moment-là que les réactions commencèrent à se manifester au gouvernement. Les agents de la Sécurité Nationale étaient vraiment intrigués par tout ce qui se passait. Une nuit, vint un membre du gouvernement pour nous prévenir qu'un grand malaise qui régnait dans le gouvernement communiste: les agents de la sécurité nationale commençaient à se fâcher. Il nous dit: «Préparez vous car Lénine est en danger». Nous avons beaucoup ri. Le lendemain, il nous dit à nouveau: «Il y a de plus en plus de critiques parmi les membres du parti... Marx est mourant». Lors de toutes nos prédications, nous avions des espions du gouvernement qui nous suivaient partout. Le lendemain matin, nous partîmes dans un petit avion pour prêcher à Pointe Noire, à 700 km de Brazzaville et à Louteté. Dans les dix années de mon ministère de guérison, je n'avais jamais vu autant de bénédictions répandues sur une foule pendant la célébration d'une eucharistie comme celles de cette première Messe pour les malades à Pointe Noire; les boiteux marchaient, les sourds commençaient à entendre, les muets criaient et les aveugles recouvraient la vue.

Nous voulûmes mettre par écrit les témoignages: les guérisons de la première Messe dépassaient la centaine. C'était vraiment le grand cadeau du centenaire de la part d'un Dieu riche en miséricorde. « Les pauvres se réjouissaient à cause du Saint d'Israël». Le témoignage qui eut le plus grand impact fut celui d'un pasteur protestant, paralysé depuis des années, après une hémiplégie. Précisément, avant la Messe, on l'avait tiré d'un taxi et transporté dans un fauteuil roulant. Dieu, qui est vraiment Père, et veut unir ses enfants dans l'amour guérit ce pasteur protestant pendant la célébration de l'Eucharistie. Voilà un véritable œcuménisme de la part de Dieu.

Le lendemain, à l'heure des témoignages, cet homme se leva seul de sa chaise, se dirigea tranquillement vers le micro sans l'aide de personne et là, avec des sanglots dans la gorge et les mains levées au ciel, il remerciait le Seigneur. Vous comprendrez quelle joie nous avions au cœur.

« Fortifiez les mains affaiblies.»

Le travail avait été exténuant mais plein de joie. Les signes et les prodiges de Jésus avaient jeté par terre la théorie marxiste de la mort de Dieu. Il ne manquait plus que la Messe de clôture dans le stade qui pouvait accueillir 40 000 personnes.

J'étais fatigué et je dis au père Kombo : « Demain, je me lèverai tard».

Je n'étais pas couché que je reçus la visite peu agréable de trois agents de la Sécurité Nationale qui venaient me chercher, mais certainement pas pour prier avec eux.

Ils m'ordonnèrent de les suivre pour un interrogatoire ; je me dis : « pourvu que je n'aie pas la même histoire qu'en Yougoslavie.» Comme là-bas, les pères jésuites ne voulurent pas que je parte seul avec les policiers cette nuit-là ; ils se souvenaient qu'en 1977 le Cardinal était parti seul avec eux et avait été éliminé. Ainsi, m'accompagnèrent-ils au bureau de police. Là-bas, avec les pères Martin et Kombo, je sus que j'étais prisonnier. On m'accusait d'être rentré illégalement dans le pays. Effectivement, sur mon visa manquait le cachet. Comme, je n'avais pas ce cachet, la logique communiste conclue que j'étais entré au Congo de nuit en chaloupe ou à la nage.

Il y eut de longs interrogatoires où on essaya de m'amener à me contredire. Je vis clairement que le motif de ma détention était le même qu'en Yougoslavie, mes prédications. Les signes que le Seigneur nous donnait pour accompagner sa Parole contredisaient les enseignements du gouvernement marxiste, quoique jamais je n'ai parlé de politique pendant mes conférences.

Moi je riais en pensant à la peur et aux soucis que leur donnait ce Jésus qu'ils considéraient comme mort. Ils prenaient tant de précautions qu'ils donnaient l'impression de croire en sa Résurrection. Pendant l'interrogatoire qui dura deux heures et demie, on me demanda même si j'avais l'habitude de dire des mensonges? On me demanda aussi si le Vatican était d'accord avec mon ministère. Un gouvernement marxiste veillait sur l'intégrité de mon ministère.

Ensuite furent interrogés le père Kombo et le Père Martin. Tandis qu'on interrogeait le Père Martin, j'étais avec le père Kombo lui racontant des traits d'humour et des aventures de mon ministère. Le Père riait et moi j'étais heureux. Nos surveillants se fâchèrent en nous voyant si heureux et ils nous isolèrent chacun dans un coin. Nous ressemblions à des enfants punis à l'école. Cela nous faisait rire encore plus car nous ne savions pas qu'il était interdit d'être joyeux en prison.

Après minuit, dévoré par les moustiques, je fis quelque chose que je n'avais pas eu l'occasion de faire avec autant de sincérité. L'Évangile nous demande de prier pour ceux qui nous persécutent et nous calomnient.

Ainsi, en prison, je récitai cinq chapelets pour les agents de la sécurité. À cinq heures du matin, je revins chez les Jésuites en résidence surveillée et sans passeport. Toute apparition en public m'était interdite. On me prévint que le lundi après-midi, on me ferait un autre interrogatoire. De retour chez les jésuites, je me couchai et essayai de dormir. Vers trois heures de l'après-midi, je me levai, bien reposé. Alors, le Seigneur déposa un message dans mon cœur qui m'illumina. Cette parole résonnait clairement en mon cœur comme une prophétie:

— Après avoir savouré l'ivresse du Dimanche des Rameaux, ne crois-tu pas qu'il est normal de goûter un peu à la semaine sainte?

Moi, je répondis:

— Très bien, Seigneur, pourvu que nous ne soyons pas arrivés au Vendredi Saint. Tout cela n'était qu'un moyen d'empêcher les manifestations de foi prévues pour le lundi après-midi et le mardi dans le stade. Les gens du gouvernement étaient fatigués des signes qui prouvaient à nouveau au peuple congolais que l'Évangile est vrai et que Jésus est le Messie et qu'il ne faut pas attendre d'autres sauveurs. Seul Jésus nous sauve. Pendant cette nuit d'interrogatoires face à un tribunal d'agents de sécurité, je compris beaucoup mieux la malice de Satan et la stupidité des hommes qui se laissent abuser par de fausses idéologies. Cette nuit-là, on revint me chercher pour un autre interrogatoire de trois heures, le mardi après-midi, le peuple qui croyait pouvoir célébrer la Messe d'action de grâces avec prière pour les malades dans le stade de la révolution arriva par milliers. Il y avait même des gens du Cameroun et du Zaïre. Quand ils surent que j'étais prisonnier, il y eut beaucoup de commentaires hostiles au gouvernement. Enfin, le mardi soir, le dernier interrogatoire dura de 19 h 30 à 22 heures. On me dit que j'aurais mon passeport le lendemain matin. Le mercredi 12 octobre à 10 heures, on me rendait ma liberté. L'Archevêque vint me voir plusieurs fois. Il était très humilié par cette histoire. Les pères jésuites aussi. Nous prîmes ensemble le dernier repas et à 13 heures, je m'embarquai à nouveau pour le Zaïre, pour un pays libre: Vive la liberté.

Au Zaïre, j'avais une retraite de 3 jours avec les leaders du Renouveau. Avant la retraite, j'allai saluer le cardinal Malulla de Kinshasa, en compagnie du père Guy: le Cardinal se montra très aimable et attentif. Je lui racontai rapidement ce que le Seigneur avait fait au Congo. Quand je lui parlai de la guérison de deux sourds-muets, cinq paralytiques, deux aveugles, et beaucoup d'autres malades, il m'écoutait les yeux écarquillés. Très sympathique, il me demanda : « Mais, Père, comment vous expliquez cela ? »

Je lui répondis :

« C'est que l'Évangile est vrai ».

Et il me répondit aussitôt : « Vous allez célébrer une eucharistie publique pour les malades de Kinshasa. Je vais demander le Palais du Peuple pour qu'il y ait de la place pour tout le monde. Le dimanche soir, après la retraite des leaders, nous célébrerons l'eucharistie pour nos malades. Je vais le faire savoir dans toutes les églises de la ville. » Si bien que le dimanche après-midi, sur l'esplanade du Palais du Peuple, là où le pape avait célébré l'eucharistie, le Cardinal et d'autres prêtres célébrèrent avec moi la Messe pour le peuple devant 10 000 personnes. Cet immense palais, très élégant, pouvant contenir 1 000 véhicules sur son esplanade, fut construit par Mao Tsê-tung pour attirer le peuple au marxisme. Cette esplanade n'a servi que deux fois : pour la Messe du Pape et pour la nôtre ! Les ennemis de l'Évangile eux-mêmes fléchissent le genou devant le Seigneur Jésus. J'ai raconté ce que j'avais vu pendant 10 ans dans le Renouveau sur les 5 continents et surtout ce que je venais de vivre au Congo. Le Seigneur nous bénit beaucoup. De sorte qu'on nous demanda une autre eucharistie pour les malades le lundi après-midi au même endroit. Cette fois la foule dépassait largement les 30 000 personnes. Je me souvins de la prophétie du Seigneur à Pimentel, quand nous lui demandions pourquoi il nous envoyait tant de monde « Évangélisez mon peuple, je veux un peuple de louange ». Lors de cette seconde Messe, il y eut de beaux témoignages de la part de personnes qui avaient été guéries le dimanche après-midi et la Gloire du Seigneur brillait toujours. À la fin, vers 19 h le Cardinal donna sa bénédiction et la pluie commença à tomber. Cela faisait des mois qu'il ne pleuvait plus au Zaïre et les gens partirent en chantant, voyant dans cette pluie une autre bénédiction.

Cette lettre, un peu longue, vous donne une idée du petit livre que je prépare pour vous parler de la joie de vivre ce que j'ai vu et entendu depuis le jour de ma guérison, il y a 10 ans. Avec ma guérison, j'ai reçu la grâce de découvrir plus que jamais le pouvoir de la prière et la présence de l'Esprit-Saint dans l'Église d'aujourd'hui. Je rends grâce au Seigneur de pouvoir vivre avec vous tous cette nouvelle Pentecôte! Je vous bénis de tout cœur! Restons toujours unis dans la prière.

IX

LE DERNIER VOYAGE

Je veux terminer ce livre en racontant un curieux incident. Après une série de retraites en Polynésie pendant 15 jours, j'arrivai dans l'avion pour me reposer assis dans mon fauteuil. Tandis que l'avion s'élevait au-dessus des nuages et que j'avais l'impression de toucher presque le ciel, je commençai à écouter une cassette de John Littleton qui chantait: «Tes voyages ne sont pas terminés, tes voyages ne sont pas terminés».

Ces mots touchèrent mon cœur comme une prophétie et je dis à voix haute: «Amen». La personne qui était assise à côté de moi et lisait son journal me regarda par-dessus ses lunettes en pensant que j'étais un fou qui parlait tout seul...

Certainement, mon voyage a commencé il y a 55 ans, quand je vins au monde par un acte infini de l'amour éternel de Dieu. À présent, j'ai entrepris le voyage de retour à la Patrie définitive, la Jérusalem céleste, où il n'y a ni deuil, ni larmes, ni sanglots, ni maladie, ni mort. Chaque jour, je suis plus proche de la Maison toujours ouverte où le bon Jésus est allé nous préparer une place auprès des Saints. Je rêve au matin où j'arriverai devant les portes de quartz et les murailles de jaspe. Je me vois déjà marchant dans les rues d'or au bord de la

Mer de Cristal de la Nouvelle Jérusalem, ornée de rubis, d'une verte émeraude et de topaze bleue. Je me baignerai dans l'eau de vie, brillante comme l'argent qui jaillit du trône de l'Agneau, à côté des arbres qui bourgeonnent et donnent des fruits médicinaux douze fois par an. Le voyage a commencé et il n'y a pas de retour en arrière. Comme le cerf désire l'eau vive, ainsi ma chair languit et mon cœur crie de joie à cause du Dieu vivant. Un tourbillon m'attire vers la Jérusalem d'en haut de plus en plus fort. Pour une seule raison je voudrais que le voyage dure plus longtemps : à cause du vertige enivrant qui me fait espérer ce que j'attends.

En un clin d'œil, au son de la trompette, je Le connaîtrai face à face. Il me possédera et je le posséderai auprès des murailles de Sion. Une invitation personnelle, imprimée avec le sang de l'agneau, m'est arrivée pour que je participe aux Noces de l'Agneau. La fiancée a été parée de dons et de charismes, embellie par un diadème d'étoiles et de soleil. Sa robe est parsemée de vertus et ses yeux brillent de la flamme du Bien-Aimé.

Lors de ces dernières années, j'ai été témoin des œuvres de l'amour et de la miséricorde de notre Dieu. S'il est si grand dans ses œuvres, comment sera-t-il lui-même ? Si les rayons de sa miséricorde sont si lumineux, comment sera-t-il, lui, le soleil de justice ? Si dans la Foi, on perçoit ses traits, comment sera-t-il dans la vision qui ne trompe pas ?

C'est pourquoi, en avion ou sur le dos d'un âne, je chante toujours :

Quelle joie quand on m'a dit : allons vers la Maison du Seigneur.

Déjà mes pas se posent sur ton seuil, Jérusalem.

Mon Seigneur et mon Dieu, je veux te dire à toi ces dernières paroles :

Mon Dieu, tu me sondes et me connais
tu sais quand je m'assieds et quand je me lève,
tu perces mes pensées

tu sais si je pars en voyage
ou si je me couche,
tous mes sentiers te sont familiers.

La parole n'est pas encore dans ma bouche
que déjà toi, mon Dieu, tu la connais.
Tu es là derrière moi et devant moi
et tu as posé sur moi ta main.

Où irai-je loin de ton esprit ?
Où pourrai-je fuir ta face ?
Qu'aux cieux je m'élève, tu es là.
Qu'au Shéol, je me couche, te voici.

Si je prends les ailes de l'aurore
Si je m'en vais aux confins de la mer
là aussi ta Main me conduit
ta droite me saisit.

Même si je dis « Que tes ténèbres me recouvrent et
que la nuit soit la lumière autour de moi. »

Les ténèbres elles-mêmes ne sont pas ténèbres pour
toi
et la nuit est lumineuse comme le jour. »

Car c'est toi qui as formé mes reins
toi qui m'as tissé dans le ventre de ma mère.
Je te rends grâce pour tant de merveilles :
tu es un prodige, prodigieuses sont tes œuvres.

Tu connaissais mon âme à sa juste valeur,
aucun de mes os ne t'était inconnu
quand j'étais façonné dans le secret
tissé dans les profondeurs de la terre.

Toutes mes actions, tes yeux les voyaient
toutes elles étaient dans ton livre ;
Mes jours y étaient inscrits
sans qu'aucun n'y manque.

Qu'elles sont insondables, O Dieu, tes pensées
qu'elles sont innombrables.
Plus nombreuses que les grains de sable
et je termine de les compter,
il me reste encore Toi !

9060